Department of Foreign Affairs   Ministère des Affaires étrangères et du
and International Trade   Commerce int_____

W9-DDQ-621

CROSS-CULTURAL EFFECTIVENESS

A STUDY OF CANADIAN TECHNICAL ADVISORS OVERSEAS

SECOND EDITION

CENTRE FOR INTERCULTURAL LEARNING
CANADIAN FOREIGN SERVICE INSTITUTE

BY DANIEL J. KEALEY, Ph.D.

**CANADIAN FOREIGN
SERVICE INSTITUTE**

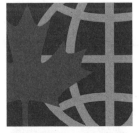

**INSTITUT CANADIEN
DU SERVICE EXTÉRIEUR**

OTHER PUBLICATIONS IN THE INTERCULTURAL EFFECTIVENESS SERIES

CROSS-CULTURAL COLLABORATIONS – MAKING NORTH-SOUTH COOPERATION MORE EFFECTIVE

Daniel J. Kealey & David R. Protheroe
Centre for Intercultural Learning,
Canadian Foreign Service Institute,
1995, bilingual, 119 pp. English.

This study clarifies why so few development assistance personnel are successful by examining the *individual, organizational and contextual* factors at play in success or failure. This book also discusses how the field of technical cooperation is evolving and how new forms of collaboration are emerging in fields such as diplomacy, peacekeeping and business. Providing tools to assist outgoing collaborators in understanding their challenging new environment and presenting a description of the characteristics of the model collaborator, *Cross-Cultural Collaboration* is required reading for both development workers and their managers.

A PROFILE OF THE INTERCULTURALLY EFFECTIVE PERSON

Thomas Vulpe, Daniel Kealey,
David Protheroe and Doug MacDonald
Centre for Intercultural Learning,
Canadian Foreign Service Institute,
2000, bilingual, 65 pp.

This ground-breaking study moves beyond such vague characteristics as "adaptability", "tolerance", and "sensitivity" to a detailed description of the actual behaviours exhibited by the interculturally effective person. *A Profile of the Interculturally Effective Person* is a comprehensive intercultural competency profile that is long overdue and a valuable addition to the library of HR professionals, trainers, and international managers.

"This document demonstrates excellent research and thinking ... a useful tool for use in recruitment and selection, performance evaluation, and training and development of overseas personnel."
Pri Notowidigdo, Managing Partner, AMROP International, Jakarta, Indonesia

TABLE OF CONTENTS

FOREWORD

Chances are you will find a copy of the first edition of this publication, in the reference library of human resource professionals, trainers, researchers, professors and international sojourners all around the world. It is a seminal work that continues to set a standard for research in the field of cross-cultural effectiveness.

The degree of importance granted to cross-cultural effectiveness by those in the world of international business, development or diplomacy has fluctuated over the past 50 years, ranging from a passing nod to recognition as an indispensable asset. It is unarguably a tenet of modern management theory that the cross-cultural aspects of international ventures have an impact on success. It is commonplace to see articles in the mainstream press and professional journals discussing the significance of some cross-cultural factor. In fact, an entire industry of cross-cultural consulting and training has been spawned in response to the notion. Despite this attention, the hard data available is insufficient to determine which cross-cultural factors are most important to international success, and why.

Most publications in this field either highlight the differences between cultures or they promote a cross-cultural training approach. For the most part, these studies address the nature of cross-cultural interaction but do not answer the question:

"What are the tangible factors that influence individuals or organizations to be better or worse than their neighbours in a cross-cultural situation?" Repeatedly asserting that culture affects international success might ensure that the issue gets popular air-play; it does not, however, lead us to understand the degree to which individual attributes, intercultural relationship skills, organizational processes or the contextual environment are the cause of international failure. How does one assist individuals or organizations to be more successful in a cross-cultural setting without this knowledge?

Cross-Cultural Effectiveness has influenced and led the way for a number of other investigations of factors which contribute to or detract

from cross-cultural effectiveness. Part of the original study clearly points to a set of personality attributes and situational factors which can predict individual success in an cross-cultural setting. The selection and training of international personnel should take into account this knowledge. Your best technical production manager may seem like the ideal choice based on his/her technical merit, but s/he might not be suited for work in a cross-cultural setting or for coping with the upheaval of an international assignment at this time in his/her life. Better you know that now than after investing tens of thousands of dollars in placing this person abroad. The *Intercultural Living and Working Inventory* (ILWI) is an assessment instrument derived from the results of *Cross-Cultural Effectiveness: A Study of Canadian Technical Advisors Overseas*. The ILWI takes the knowledge gained through sound research and assists organizations in choosing candidates with a greater potential for success.

Additional pieces of the puzzle needed for a successful international venture have also emerged. In their 1995 study, *Cross-Cultural Collaborations*, Kealey and Protheroe explored the organizational and situational factors that make North-South cooperation more effective. More recently, the Centre for Intercultural Learning has developed *A Profile of the Interculturally Effective Person*; this study lays out an intercultural competency profile, including behavioural indicators, that details the skills, knowledge and attitudes requisite for intercultural success. With sound research and the development of services and tools, the cross-cultural field can offer solutions which assist people and their organizations in their international ventures.

The Centre for Intercultural Learning will continue to support exceptional research efforts such as *Cross-Cultural Effectiveness* in the knowledge that they can be an important contribution to your success in living and working in other cultures.

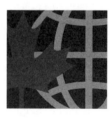

Thomas Vulpe, Director
Centre for Intercultural Learning
Canadian Foreign Service Institute

ACKNOWLEDGEMENTS

Many people have contributed to this work. Canadians living and working abroad served willingly as subjects for the study. Host national counterparts and supervisors contributed to the data voluntarily. When executing agencies were involved in project management, their support was also requested and obtained. Through the course of the study, Canadian embassies in 16 countries helped coordinate data collection in the field.

An enormous debt of gratitude is owed to the Canadian International Development Agency (CIDA) which funded this study. Valerie Young and Gabriel Dicaire were instrumental in enabling this study to take place and Don Lahey assisted in editing the text of the original 1990 edition.

Special thanks must also go to the Social Services and Humanities Research Council of Canada for its doctoral fellowship support. At Queen's University, John Berry, my doctoral supervisor, Ron Holden, Rod Lindsay, Uichol Kim and Remi Joly were all helpful and encouraging during the course of the study.

Fond appreciation is also owed to the research team that helped in organizing and collecting data. Jacinthe Desmarais and Dominique Dallaire served as permanent research coordinators. Among the many enthusiastic and supportive field researchers were Pamela Pritchard, Suzanne Simond, Michael Miner, Frank Hawes, Hussein Jeewanjee, Marie Sylvie Roy and Ane Jensen.

Finally, three colleagues and friends – Brent Ruben, Pri Notowidigdo and Donald Dunham – have long been a cherished part of my continuing interest in and commitment to cross-cultural training and research.

It should be noted that the results and conclusions reported in this study are attributable to the author. They do not represent any official viewpoint of the Government of Canada.

Daniel J. Kealey
March, 1990

INTRODUCTION

This report is a summary of the findings contained in *Explaining and Predicting Cross-Cultural Adjustment and Effectiveness: A Study of Canadian Technical Advisors Overseas*, written by Daniel John Kealey, PhD., and supported by the Canadian International Development Agency (CIDA).[1] The study took place over a three-year period between 1986 and 1988, and involved 1,400 people engaged in Canada's development programs in 16 countries. Included in the study were Canadian advisors and spouses on international assignments, national counterparts from the recipient countries, and Canadian advisors and spouses who had recently returned from two-year stints abroad.

The study took place over a three-year period and involved 1,400 people in 16 countries.

The revised edition

Given that this study was first published 11 years ago, it would seem worthwhile to discuss some recent trends evolving among researchers and practitioners in the field of intercultural competence and how these trends relate to the study's findings. It is also important to discuss how relevant these research findings are today, but I will do this in "Recommendations" at the end of this book.

---

1 This report summarizes the principal findings of the research conducted by the author as part of his doctoral thesis, completed at Queen's University in Kingston, Ontario, under the direction of J.W. Berry, professor of psychology.

INTRODUCTION

What are some of the trends that have emerged in the last 10 years and how do they relate to the findings of this research investigation? There are two key trends that deserve comment at this time. First, the research literature has begun to investigate a broader range of factors that influence the performance of individuals working in another culture.[2] Accordingly, we are beginning to build a knowledge base on some of the critical organizational and environmental variables which must be addressed in order to ensure more effective collaboration across cultures. This is indeed valuable research but it unfortunately leads some researchers and practitioners to de-emphasize or treat as irrelevant the interpersonal and intercultural skills of individuals. They would argue that what is most important in intercultural exchanges is addressing key situational variables, such as having clearly defined objectives, roles and responsibilities and adequate physical and financial support structures. But for organizations operating internationally to ignore the need to assess and develop the intercultural skills of their employees is indeed perilous, for they risk sending personnel who will either fail to adapt to the local culture or not succeed in building effective working relationships with local colleagues, or both. This 1990 research project identified some of the critical skills needed to be effective in another culture and the argument is made that the intercultural competence of individuals is essential in building effective collaborative relationships abroad. That is to say, although one's intercultural skills do not in themselves guarantee success in a global venture, without them it is virtually impossible to succeed in working in another culture.

Second, as pointed out by this author in 1996,[3] an important challenge for those in the intercultural field is development of behaviour-based methods for assessing intercultural competence. Why? Because traditional methods such as psychological testing and interviewing have not proven to be very reliable for assessing the intercultural skills of individuals. Recently, the Centre for Intercultural Learning of the Canadian Foreign Service Institute initiated a research project that has resulted in a very detailed behavioural description of the interculturally

2   Dinges, N.G. and Baldwin K.D. (1996). "Intercultural Competence: A Research Perspective". In Landis D. and Bhagat R.S. (EDS) *Handbook of Intercultural Training* (2nd Edition). London: Sage.
3   Kealey D.J. (1996). "The Challenge of International Personnel Selection". In Landis D. and Bhagat R.S. (EDS) *Handbook of Intercultural Training* (2nd Edition). London: Sage.

effective person.[4] This research now provides the needed groundwork for developing behaviour-based interview guides, performance evaluation tools, and instruments for monitoring one's own effectiveness in another culture.

The link between the 1990 research project and this new behaviour-focused research is clear and direct. The profile of skills identified herein is still valid but not concrete enough. In Mager's terms,[5] it is too "fuzzy" and, therefore, not very useful for guiding trainers or evaluators responsible for developing and measuring intercultural competence. However, the new behavioural profile does specify very concretely how a person who possesses the skills and qualities outlined in this report will actually behave living and working in a new culture. Accordingly, because we now know what intercultural competence looks like, we can begin to improve our efforts to assist people in developing intercultural skills.

As a final comment, it should be noted that there are some revisions to this edition of the study. In collaboration with Thomas Vulpe much of the text has been reorganized

4 Vulpe, T,. Kealey, D.J., Protheroe, D.P. and MacDonald, D. (2000). *A Profile of the Interculturally Effective Person*. Hull, Quebec: Center for Intercultural Learning, Canadian Foreign Service Institute.
5 Mager, Robert F. (1984). *Goal Analysis* (2nd Edition). Belmont, California: Lake Publishing Company. 19-33.

to emphasize the objectives of the study and the extent to which the research findings met these objectives. As well, the tables and figures have been simplified.

Why study international effectiveness?

Every year Canada sends hundreds of technical advisors to developing nations as part of its international development assistance programs. These advisors, working in agriculture, education, forestry, mining, management, accounting, health, industry and many other areas, are sent to help developing nations build their economic, infrastructural and social resources in an effort to improve their economic prosperity. Canada focuses its efforts on human resource development – the development of people through improved education, literacy training and the acquisition of knowledge and skills – and accomplishes this primarily through a sharing of technology and the transfer of skills and knowledge.

By its very nature, this focus requires direct contact between people who often differ in culture, language and values. For transfer of skills and knowledge to be

successful, those barriers must be overcome, and people who think and act differently must understand and cooperate with each other. Transferring skills and knowledge in an cross-cultural environment is a difficult task and, in many cases, it is one that has met with limited success. Too often, for example, technical advisors sent overseas become indispensable to a project's ongoing operation. An advisor's inability to transfer skills and knowledge to his/her counterparts creates a dependency on the donor rather than enhancing the recipient country's self-reliance. In a 1973 study, Schnapper reported:

"The history of international development efforts is strewn with the wreckage of many development projects. One of the major conclusions that emerges from this history is the lack, not of technical skills, but of interpersonal and intercultural adaptation skills. This history of international development failure is still being perpetuated today even though one of its main causes has been identified in countless studies and reports".[6]

---

6 Schnapper, M. (1973). *Experimental Intercultural Training for International Operations*. Unpublished doctoral dissertation. Pittsburgh, PA: University of Pittsburgh.

Experience has shown that successful technical cooperation requires more than merely having advisors who possess expertise to share with developing nations. One must also have the skills to teach and to communicate, to understand others and to make oneself understood. But what are those interpersonal and intercultural skills and how do you ensure that the people being sent on international assignments possess them? What does it take to be able to transfer skills and knowledge to a person from another culture? To what extent do other factors, such as culture shock, have a bearing on an individual's effectiveness? What influence do background factors, such as age, sex, language ability and nationality, have on success? And are there other environmental or cultural constraints which impede individual effectiveness?

Previous research has shown that a number of personality characteristics are associated with success in living and working abroad; these include empathy, interest in the local culture, flexibility, tolerance, initiative, open-mindedness, sociability and positive self-image. Agreement on these characteristics from a number of independent studies provides the consensus for beginning

to identify a "cross-cultural type". Having identified these characteristics, however, the problem of how to measure them remains.

A further complication is a lack of understanding of the process of adaptation. Research to date has focused almost exclusively on identifying adjustment problems and outcomes, while ignoring the theory and process that underlie those problems. If we don't understand the processes involved in cross-cultural adaptation, it is very difficult to predict who will succeed and who will fail.

All donor countries have acknowledged the difficulties involved in successfully implementing international technical assistance programs. A study on effectiveness conducted by the Nordic countries[7] concluded that while many advisors achieved the operational objectives of their assignments, they were relatively ineffective in fostering institutional development, training or transferring skills. The study found that advisors often were sent abroad unnecessarily and that too little use was made of existing human resources in the recipient country. It identified poor project definition and planning, differences in understanding and objectives between donor and host countries, and a lack of an institutional framework to

---

7 Evaluation of the *Effectiveness of Technical Assistance Personnel*, 1988. The study was commissioned by the Danish International Development Authority (Danida), The Finnish International Development Agency (Finnida), The Royal Norwegian Ministry of Development Cooperation (MCD/NORAD), and The Swedish International Development Agency (SIDA).

INTRODUCTION

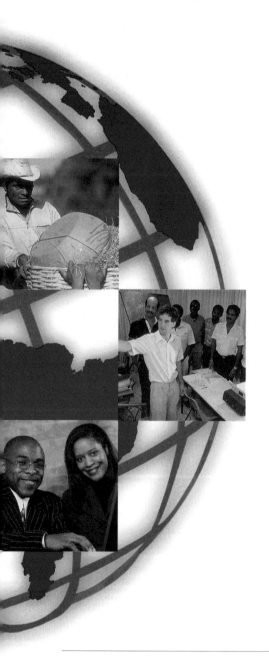

support the transfer of skills as factors inhibiting effectiveness.

While it is recognized that obstacles to success exist at the national, bureaucratic, and institutional levels and that there is a need for better project planning and infrastructural support, it is important to realize that these factors alone do not guarantee effectiveness internationally. Equally important is the ability of the individual advisor to transfer skills and knowledge to counterparts in a given project in a given environment. There is a critical need to define the personal and behavioural characteristics that enhance cross-cultural effectiveness, and to determine how those characteristics can be used to identify and select better candidates for international assignments. That is the focus of this study.

Previous research on international effectiveness

In an effort to better understand the role of the Canadian advisor in international development projects, CIDA conducted two studies prior to the one currently under discussion. *The Kenya Study*,[8] conducted by Daniel Kealey and Brent Ruben, was an in-depth investigation of 22 advisors who were interviewed

---

8 Ruben, B.D. and Kealey, D.J. (1979). "Behavioural assessment of communication competency and the prediction of cross-cultural adaptation." *International Journal of Intercultural Relations*, 3, 15-47.

and assessed prior to leaving for assignment in Kenya and again one year after their arrival at the posting. The study found that patterns of success in adaptation could be predicted, with varying degrees of accuracy, by seven interpersonal and communication skills, namely:

- empathy
- respect
- role behaviour
- non-judgementalness
- openness
- tolerance for ambiguity
- interaction management

In seeking a definition of cross-cultural adaptation, the study identified three distinct dimensions: acculturative stress (culture-shock), psychological adjustment, and interactional effectiveness. The last included cultural participation and interaction, concern for, and success at transferring skills.

A second study was conducted in 1979 by Daniel Kealey in collaboration with Frank Hawes. *Canadians in Development*[9] was a more comprehensive investigation involving 250 people from 25 projects in six countries. Approximately 100 variables on adaptation and effectiveness were examined in an attempt to define the components of international effectiveness and establish a profile of an effective technical assistance advisor. The study confirmed the findings of the Kenya Study, reiterating the importance of the seven interpersonal and communication skills to adjustment and effectiveness. It was found, however, that while most Canadians serving abroad were well adjusted and satisfied with their lives, only a small percentage were judged to be effective in transferring skills and knowledge to their national counterparts. The reason for this seemed to be the advisors' inability to interact effectively with their counterparts. In addition, the Canadians interviewed acknowledged that they had little social contact with people from the host country, despite the fact that both Canadians and their counterparts identified involvement in the host culture as being important to success.

Two other findings of the *Canadians in Development* study have become important to our understanding of international effectiveness. The first was the articulation of a concept of effectiveness comprising three elements:

- professional expertise
- adaptation
- intercultural interaction

9   Hawes, F. and Kealey, D. (1980). *Canadians in Development*. Hull, Quebec: Canadian International Development Agency.
_____. (1981). "An Empirical Study of Canadian Technical Assistance: Adaptation and Effectiveness on Overseas Assignment." *International Journal of Intercultural Relations*. 5, 239-258.

INTRODUCTION

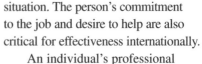

Professional expertise has traditionally been the main criterion of selection for assignments abroad. Examining an individual's skills in a specific technical area has been the primary concern of selection committees screening potential advisors. But expertise includes more than just an individual's own training and work experience; it also includes his/her ability to assess the technical capabilities of the job situation and to be innovative – to adapt the technology and training to the needs and realities of the local

situation. The person's commitment to the job and desire to help are also critical for effectiveness internationally.

An individual's professional performance is influenced by his/her **adaptation** to the environment. This is particularly true in a cross-cultural setting where, faced with so much that is unfamiliar, the individual must rely more upon his/her own resources and those of accompanying family members. Effectively adapted, the advisor and family can better cope with the unfamiliar and with the problems and frustrations that arise in a new environment (e.g., housing, personal security, availability of goods and services, health concerns, living in an expatriate community). The degree to which the advisor and his/her family adjust to their circumstances and their level of satisfaction are crucial to the advisor's ability to function effectively.

Intercultural interaction refers to an advisor's interest in and capacity for interaction with nationals and the culture of the host country. This includes such things as interaction with nationals on the job and socially, a knowledge of the local language, interest in the local culture, a concern with training, and tolerance and openness to the local culture and customs. Interest in and interaction with one's counterparts and their culture is a prerequisite to effective transfer of skills.

Figure 1
**Concept of overseas effectiveness
Canadians in Development study 1980**

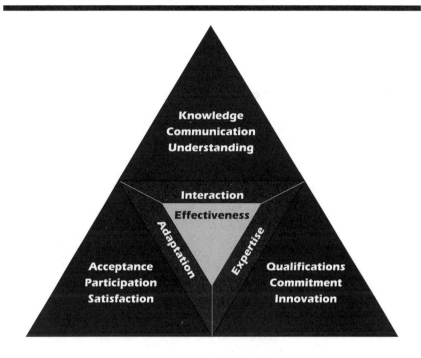

The contribution of these three factors to international effectiveness is shown in Figure 1. The three components – expertise, adaptation and interaction – impinge on one another; their confluence defines the area of effectiveness. In other words, for an individual to be effective s/he must adapt – both personally and within his/her family – to the environment, have the expertise to carry out the assignment, and interact with the new culture and its people.

The second important finding of the *Canadians in Development* study was the creation of a profile of the effective technical assistance advisor incorporating the seven interpersonal and communications skills identified in the *Kenya Study* (see Figure 2).

Figure 2
Profile of the effective technical assistance advisor
Canadians in Development study 1980

1. Professional qualifications

Qualifications include appropriate educational background, training, and experience along with a commitment to the international assignment. The individual should understand how professional and technical skills must be modified to fit local conditions and constraints.

2. Observed behaviour
Interpersonal skills

Flexibility	Flexible response to ideas, beliefs or points of view of others; open.
Respect	Response to others which helps them feel valued; attentive and concerned; acknowledges others.
Listening	A good listener who accurately perceives the needs and feelings of others.
Relationship-building	Demonstrated ability to build and maintain relationships; trusting, friendly, and cooperative.
Control	Calm and in full control when confronted by interpersonal conflict or stress.
Sensitivity	Sensitive to local social, political, or cultural realities.

Self assertion/identity

Initiative	One of the first to act, make suggestions or propose a plan of action.
Confidence	Expresses and demonstrates self-confidence with regard to personal goals and judgement.
Frankness	Frank and open in dealing with others.

3. Self-perception

- open/non-ethnocentric
- harmony with others
- frankness
- self-confidence/initiative
- family communication
- open/flexible
- outgoing

4. Expectations
Realistic pre-departure expectations

Prior to departure, the individual should be realistically aware of the constraints and barriers to effective performance but nevertheless be fairly optimistic about success

- has some concerns about living overseas
- expects a rewarding experience

By way of summary, these two previous studies added a number of elements to our understanding of the process of adaptation and international effectiveness.

- the personality and/or behaviour of the individual advisor is a major influence on the implementation of development assistance and can make or break a project;

- technical skills do not in themselves guarantee the success of a project; there are clear and definable non-technical criteria for international success;

- a consensus can be reached on what constitutes international effectiveness;

- technical qualifications and previous international experience continue to be regarded as the most important factors in selection despite the importance of personal and interpersonal skills;

- tools and strategies are needed for improving the selection process, particularly for assessing a candidate's intercultural competence for undertaking an international assignment.

Cross-Cultural Effectiveness

A Study of Canadian Technical Advisors Overseas

Objectives, definition and methodology

Research Objectives

The study was undertaken in an attempt to build on the findings of the two previous studies (the *Kenya Study* and the *Canadians in Development* study) and to answer some of the questions they raised. Specifically, the study established five main objectives, to:
1. test the relevance of specific theories in social and cultural psychology in accurately explaining assignment outcome;
2. understand the influence of background and situational factors on international effectiveness;
3. identify and develop selection instruments for assessing potential advisors on skills critical to international effectiveness;
4. clarify the relationship between predictors of acculturative stress (culture-shock) and international effectiveness;
5. test and refine a model of effective transfer proposed in the *Canadians in Development* study.

A Definition

A successful international assignment is one in which an advisor is able to provide information, training, and technology to his/her counterparts in the host country and, in doing so, enhance their capacity to manage and develop their country's resources. In this context, an advisor's effectiveness is measured by his/her ability to transfer skills, knowledge and expertise to counterparts in the host country.

Cross-Cultural effectiveness can be defined as *the ability to live contentedly and work successfully in another culture*. The definition acknowledges a relationship between an individual's personal adjustment and satisfaction and his/her performance in a cross-cultural setting. This distinction is important for it recognizes the influence of factors other than an individual's professional qualifications on international effectiveness.

OBJECTIVES, DEFINITION AND METHODOLOGY

Methodology

The study included 277 Canadian technical assistance advisors, 200 accompanying spouses and 140 host country counterparts involved in 75 projects in
16 developing countries (see Figure 3). The Canadians included in the sample
represented a wide cross-section of professionals (see Figure 4). All advisors
included in the sample were posted abroad for at least one year. The figure of
277 represented about 25 per cent of Canadians serving on CIDA-sponsored
technical assistance projects at the time of the study. Participation in the study
was voluntary.

The sample included three study groups. An initial group of 130 advisors
filled out a pre-departure questionnaire prior to leaving Canada for their postings. Follow-up study in the field was conducted with 93 of them (70 per cent
of the pre-departure sample) from three months to one year after their arrival in

Figure 3
Countries included in the study

OBJECTIVES, DEFINITION AND METHODOLOGY

the country of assignment. They completed a follow-up questionnaire and were interviewed at the job site where their supervisors and national counterparts were also interviewed. Canadians were also asked to rate their peers on 15 interpersonal skills, providing the study with both self-ratings and peer ratings.

During the field visits, a second group of 184 advisors was added to the study. This group completed the pre-departure questionnaire and field instruments at the same time. Field study followed the same procedures as that described above. A group of 140 host country counterparts was also interviewed, providing the study with ratings by nationals of their Canadian counterparts.

The study's third group consisted of 200 accompanying spouses of which 146 were interviewed in the field.

As mentioned above, the research used both pre-departure and field instruments. Pre-departure instruments were used to assess predictive characteristics, while field instruments focused primarily on outcome variables (see Figure 5). All data was subject to content analysis and multi-variate statistical analysis which focused on identifying relationships between predictor variables and outcome variables.

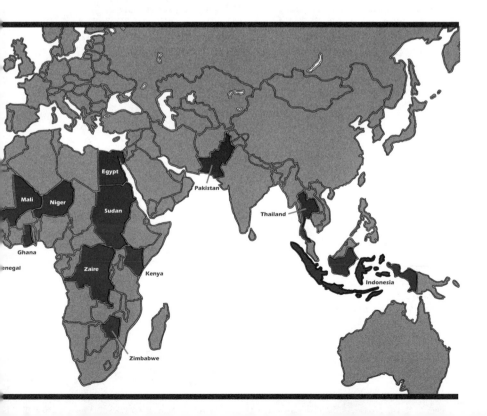

Figure 4
Profile of the Canadian advisor sample – N=277

Age

20-30 years	6%
30-40 years	31%
40-50 years	40%
50-60 years	18%
60 years or over	5%

Sex

Male	87%
Female	13%

Maternal language

English	47%
French	44%
Other	9%

Marital status

Single, separated, unaccompanied	20%
Single, separated, accompanied	6%
Married, accompanied	67%
Married, unaccompanied	7%

Children

Accompanying children	38%
No accompanying children	62%

Education

Completed elementary school	1%
Completed high school	9%
Completed technical school	15%
Completed university degree (bachelor's)	29%
Completed more than one bachelor's degree	9%
Completed master's degree	30%
Completed doctoral degree	7%

Previous international assignments

None	35%
One or more	65%

Employer

CIDA direct contract	9%
Canadian executing agency	80%
Other	11%

Do you work with a local counterpart?

Yes	77%
No	23%

Principal work role

Manager or team leader	33%
Team member	52%
Individual assignment	15%

Work setting

Urban setting	56%
Both urban and rural settings	16%
Rural setting	28%

Are your terms of reference clear?

Yes	80%
No	20%

Region of assignment

Asia	21%
Caribbean	13%
Africa	66%

Figure 5
Variables and instruments

Pre-departure data

Predictor variable	Measuring instrument
Field dependence/field independence	Group Embedded Figures Test
Conformity Social participation Social aptitude Socially desirable responsiveness	Jackson Personality Inventory
Pre-Departure expectations Attitudes to development Desire for local contact Family/spouse closeness	Pre-Departure Expectations and Attitudes to Development Scale
Interpersonal skills	Interpersonal Skills Inventory
Job-related values and career priorities	Job Values Inventory
Demographic factors such as age, education, previous experience etc.	Background Variables

Field data

Outcome variable	Measuring instrument
Personal and professional satisfaction	Memorial University – Scale of Happiness Cantril's Self-Anchoring Scale
Acculturative stress or culture shock	Cawte Scale
Difficulty in adjustment	Field interviews and self-report scale designed for the study
Cross-cultural understanding	Development Communication Index
Contact with host culture	Tucker's contact scale and items devised for the study
Overall adjustment and effectiveness overseas	Scales from Canadians in Development study utilizing both self and colleague ratings
Living conditions	Six items devised for this study
Job constraints	One index devised for this study

In search of theory

Objective 1

To test the relevance of specific theories in social and cultural psychology in accurately explaining assignment outcome.

Discussion

Underlying the development of effective assessment tools is the need for a theoretical basis to understand the dynamics of adaptation and international effectiveness. Research to date has been practically oriented, focusing on specific problems and their solutions. Diverse factors have been investigated for their influence, but little attempt has been made to identify theories that would explain adaptation and effectiveness and allow us to predict and control those factors.

To address this problem, the study examined five areas of research and theory for their relevance: person perception, ethnic relations, cognitive style, self-monitoring behaviour, and culture and job values.

Person Perception

Person perception is the study of how we perceive others in our environment. If this field of research demonstrates anything, it is the difficulty of accurately perceiving, understanding and effectively communicating with others in our society. Selective perception, stereotypical beliefs, ethnocentric attitudes, personal constructs, snap judgments and attribution errors can all distort our perception of others. Given these obstacles to accurate perception between people of the same culture, it is easy to understand how many more obstacles must be present between individuals of different cultures.

One would expect that people who can more accurately perceive and understand others will have a greater capacity to be open and non-judgmental, to listen and observe, and to respect and engender trust in others. Since these characteristics also match our description of an effective technical assistance advisor, this type of person should also be able to more easily, more quickly and more accurately perceive and understand national counterparts. It can be argued that this ability is the basis for building an effective working relationship and establishing an environment conducive to the transfer of skills and knowledge. Conversely, the inability to transfer skills and knowledge may occur because the advisor and his national counterpart inaccurately perceive each other. This misinterpretation may lead to misjudging each other's motives and attitudes, which can result in distrust and disrespect expressed as resistance to change.

One aim of this study was to determine whether the above assumptions were true – that is, whether the personality type identified in our effective technical assistance advisor was associated with greater accuracy in interpersonal perception and understanding in a cross-cultural environment. Was it possible to measure the degree of understanding that exists between a Canadian advisor and a national counterpart? The *Development Communication Index* was developed for this purpose, to enable researchers to compare an advisor's prediction of a counterpart's response to a given situation with the counterpart's own assessment of the situation, and vice versa. The index would make it possible not only to identify areas of misunderstanding, but also to use that information as a basis for improving overall interactions between staff working on a development project.

Ethnic Relations

In order to understand more of the requisites for effective cross-cultural communication, it is necessary to examine how the motives, attitudes and expectations of the local people affect the overall outcome of the working relationship. It is equally important to examine the motives, attitudes and expectations of the development worker. It is known, for example, that ethnocentric attitudes, negative stereotypes and prejudice inhibit cross-cultural understanding. The larger question is, can research on ethnic relations broaden our understanding of cross-cultural interaction?

One promising avenue for exploration is the contact hypothesis[10] in ethnic relations studies. Simply stated, it hypothesizes that, under some circumstances, increased social interaction between members of different cultural groups should result in more favourable attitudes toward each other. Findings

---

10 Amir, Y. (1969). "Contact Hypothesis in Ethnic Relations." *Psychological Bulletin*, 71, 319-341.
_____. (1976). "The Role in Intergroup Contact in Change of Prejudice and Relations." In P.A. Katz (ED.) *Toward the Elimination of Racism*. Elmsford, NY: Pergamon Press.

from the *Canadians in Development* study showed that the advisors judged most effective at transferring skills also placed a higher value on and engaged in a greater amount of social interaction with nationals, suggesting a relationship between increased contact and international effectiveness. What is yet to be determined is why that association exists.

Cognitive Style: Field Dependence/Independence

Field dependence/independence theory[11] has identified two distinct ways people have of integrating diverse sources of information. Field dependent people tend to rely on external factors in making perceptual judgments; that is, the reactions of others around them influence their own response to a given situation. Field independent people rely more on their own internal cues; their responses are largely unaffected by the reactions and opinions of others around them. As it relates to our concern with intercultural adaptation and effectiveness, research shows that field dependent people tend to be more interpersonally skilled and oriented than those who are field independent. In fact, the description of the field dependent person's interpersonal skills in many ways parallels our profile of the effective technical assistance advisor.

A number of other findings suggest the relevance of field dependence/independence theory to the present study. First is the finding that conflict resolution is enhanced by the presence of field dependent people, probably because of their desire to cooperate and willingness to compromise. Field dependents also score better on social skills than field independents, provided that they are measured behaviourally rather than cognitively (i.e., in their actions rather than their words).

For these reasons, the Group Embedded Figures Test for field dependence/independence was used to predict patterns of adjustment and effectiveness abroad. Its possible usefulness as an instrument for selection of international workers was also tested.

---

11 Witkin, H.A. and Goodenough, D.R. (1981). *Cognitive Styles: Essence and Origins*. New York: International Universities Press Inc.

Self-Monitoring Behaviour

Self-monitoring behaviour[12] is the degree to which an individual attempts to control the images and impressions others form of him/her during social interaction. High self-monitoring individuals are sensitive to the behaviour and presentation of others around them and attempt to use these cues as guidelines for their own behaviour. The social behaviour of low self-monitoring individuals, on the other hand, is controlled more from within; they express what they feel rather than what a given situation might dictate.

There are obvious parallels between these two self-monitoring strategies and field dependence/independence. In fact, it may be possible to view this as the behavioural expression of field dependence/independence, with high self-monitoring correlated with field dependence and low self-monitoring correlated with field independence.

It is argued that both the tendency of field independent people to impose their own structure on reality and the fact that low self-monitors are generally driven by their own inner states would be predictive of ineffectiveness abroad. If one is to establish effective, cross-cultural working relationships, one must be able to control inner feelings of frustration, hostility or resentment and must attempt to understand the values, customs, and attitudes of the local people without imposing one's own value system in the process. Given these exacting requirements, it would seem that both the field dependent person and the high self-monitor would have the best chance at success.

Culture and Job Values

Research on cultural values has shown that national cultures vary in four main dimensions – power distance, uncertainty avoidance, individualism and masculinity – and that these differences "have profound consequences for the validity of the transfer of theories and working methods from one country to another."[13]

---

12 Snyder, M. (1974). "Self-monitoring of Expressive Behaviour." *Journal of Personality and Social Psychology*, 30, 526-537

_____ . (1979). "Self-monitoring Processes." In L. Berkowitz (Ed.) *Advances in Experimental Social Psychology*. (12), New York: Academic Press.

13 Hofstede, G. (1980). *Culture's Consequences*. London: Sage.

Hofstede , G. and Spangenberg, J. (1987). "Measuring Individualism and Collectivism at Occupational and Organizational Levels." In C. Kagitcibasi (Ed.) *Growth and Progression in Cross-Cultural Psychology*. Lisse, NL., Swets & Zeitlinger.

DISCUSSION   **IN SEARCH OF THEORY**

The latter two dimensions, individualism and masculinity, bear the most relevance to the situation faced by Canadian advisors abroad. The individualism-collectivism dimension concerns the closeness of relationships between the people of a nation. Individualist nations emphasize loose ties among people and individual responsibility, whereas collectivist nations value close relations and collective responsibility. The masculine-feminine dimension weighs the strength of assertiveness interests against nurturance interests in a country's culture. Masculine societies emphasize earnings and advancement, while feminine societies value work relationships and atmosphere.

A measure of cultural dimensions and job values might be useful in helping to explain and predict effectiveness in the transfer of skills and knowledge to national counterparts. For the most part, the developing countries tend to place a higher value on collectivism and emphasize fewer traditional masculine values than does Canada. It would seem plausible therefore that Canadian advisors who rate themselves more collectivist and less masculine in their values and orientation – especially to work – would adapt better and be more effective in transferring skills and knowledge.

Findings

Person Perception Theory

The study of person perception is concerned with how we perceive others
in our environment and, for our purposes, the obstacles which prevent accurate
perception of others. In the cross-cultural context, one would assume that there
would be more obstacles to accurate perception of others than in an exchange
between two persons from the same cultural background. Of interest to this
study were the following questions: What type of person does best at accurately
perceiving his national counterpart? Is the interpersonally skilled and interested
person better able to understand nationals? Does greater accuracy in interpersonal
perception predict effectiveness at transferring skills and knowledge?

The study found that strong interpersonal skills, positive pre-departure
expectations, and a lack of concern for upward mobility were all associated
with accurate perception of others. This combination of social skills and
attitudes would appear to allow people to be "free of themselves," providing
the energy and a base for understanding their national counterparts. There
is also proof of a correlation between understanding and effectiveness at
transferring skills and knowledge.

Ethnic Relations Research and Theory

The contact hypothesis states that increased social interaction between members of different cultural groups should result in more favourable attitudes to each other provided that the contact:

- is voluntary
- is between groups or individuals of the same social status
- involves working together for common goals

This study confirms the relationship between contact and effectiveness (which is explored further in discussion of the Dynamics of Transfer Model) and supports the contact hypothesis despite the fact that one of the major conditions is lacking – Canadians on assignment have a professional and economic status far superior to that of their national counterparts. From field observations, it would appear that Canadians displaying a genuine commitment to and energy for working to enhance the skills of their counterparts are greatly appreciated by the counterparts. This fosters positive relations between advisor and counterpart, despite their differences in social status.

A major dilemma remains, however, in the fact that most expatriates remain isolated from the local culture. Most Canadians find supportive relationships in the company of other Canadians. This diminishes the stress of adaptation and increases the advisor's satisfaction with life abroad, but it also contributes to the formation of an expatriate ghetto and eliminates the need for contact with the local culture. It is clear that this isolation acts as a barrier to establishing cooperative and effective working relationships with nationals and mechanisms must be found to encourage greater participation in the local culture if Canadian advisors are to be effective in their assignments.

Cognitive Style: Field Dependence/Independence

It was predicted that field dependence (i.e., the tendency of an individual to rely on external cues in making perceptual judgments) would be associated with success abroad as demonstrated by high levels of contact with the local culture, high satisfaction, low stress, greater understanding of nationals, and high levels of effectiveness at transferring skills and knowledge.

The study found moderate support for this hypothesis. Field dependent people reported higher satisfaction with their lives, spent more social time with nationals, and rated themselves higher on altruism, initiative, self-assertiveness, and effectiveness at transferring skills. These findings would seem to confirm an association between field dependence and greater interpersonal competence and interest.

Self-Monitoring Behaviour

Self-monitoring behaviour is the ability to control the impressions others form of us during social interactions. Individuals with high self-monitoring abilities are socially skilled and are able to adapt their behaviour to reflect the situation. It was predicted that high self-monitoring individuals would display the same characteristics as those associated with field dependence and that they similarly would be more successful abroad. No evidence was found, however, for a relationship between self-monitoring and field dependence, yet a significant but small correlation was found between self-monitoring behaviour and success abroad.

The fact that both cognitive style and self-monitoring are so directly related to the type of behaviour known to lead to effectiveness abroad makes these results particularly disappointing. One possible explanation is that the self-monitoring scale is not one-dimensional. Another possibility is that high self-monitoring individuals may display "Machiavellian" tendencies - that is, the person may present him/herself in a way that "looks good," but behave in an opposite manner.

Culture and Job Values

It was predicted that individuals who rate themselves as collectivist and less masculine in their values and orientation would be more effective in transferring skills and knowledge in developing countries. Unfortunately, due to problems in data analysis, it was not possible to test the relevance of Hofstede's four dimensions in predicting effectiveness abroad. However, four new factors were examined for their relevance: security, upward mobility, adventure and altruism. It should be noted that the latter two are related to Hofstede's scale of individualism/collectivism, while mobility and security are associated with the masculinity/femininity scale. The study found that altruism was associated with high satisfaction, high contact with the local culture, and high levels of self-assessed effectiveness. A high sense of adventure (or high degree of individuality), on the other hand, was associated with high satisfaction but little contact with the local culture. A lack of concern for upward mobility or security was found to be associated with greater contact and higher effectiveness, as rated by colleagues and researchers. While all four cultural dimensions show some promise as predictors, the scales for security and upward mobility were particularly useful in predicting effectiveness abroad, as judged by colleagues and researchers.

Background and situational variables

Objective 2

To understand the influence of background and situational factors on effectiveness abroad.

Discussion

Background or demographic characteristics such as nationality, status, language proficiency, age, education, and previous cross-cultural experience, have been shown, in varying degrees, to be predictors of personal adjustment and effectiveness abroad. Evidence has also been documented to support the influence of situational variables on adjustment and effectiveness. In fact, some researchers argue that situational variables are the critical determinants of international success and they dismiss the role played by personality, a viewpoint not shared by this study. In the design of this research, an attempt was made to explore a number of background and situational variables.

Background Variables

- previous international experience
- gender
- age
- education
- marital status
- type of development project (e.g., human vs. technical resource development
- work role (e.g., manager/ team leader vs. team member)

Situational Variables

Living conditions such as:
- housing
- pollution
- security
- amenities
- recreation
- health risk and facilities

Job constraints such as:
- lack of realistic and clearly defined objectives
- poorly defined job descriptions
- lack of facilities and equipment
- lack of support staff
- under-employment or over-employment of the advisor
- political interference

Findings

Background Variables

Previous international experience

Canadians with previous experience abroad generally adjusted to life in a new country more quickly and easily than those on their first international assignment. They reported lower levels of stress than those without experience abroad, and higher levels of satisfaction.

The study found, however, that ease of adjustment is not predictive of effectiveness in transferring skills and knowledge, despite the fact that advisors with prior experience express confident expectations prior to departure and rate themselves as being highly effective once they are working abroad. When rated by their peers, counterparts, and the researchers, these advisors did not score more highly in effectiveness than those without international experience. In fact, too much previous experience may lead to complacency that forms a barrier to establishing effective relationships with nationals.

This finding is important for its implications for the selection of candidates for international assignments. To date, previous experience has been an important factor. Too often, otherwise qualified people are eliminated from the selection process because they lack experience in the developing world, a fact clearly demonstrated in this study where only 35 per cent of the sample were on their first assignment abroad.

> **While previous international experience does have some merits, its importance as a selection criterion should be tempered.**

(This represents a dramatic change from the findings of the *Canadians in Development* study in 1980. At that time, the figures were reversed: 65 per cent of the advisors sampled were on their first international assignment, while 35 per cent had at least one previous assignment in a developing country.) While previous international experience does have some merits, its importance as a selection criterion should be tempered. Such an action would have the added benefit of enlarging the pool of talent from which to select international advisors.

Gender

The study found that women are more highly rated than men on many
of the skills and attitudes associated with effectiveness abroad. For example:

- women expressed less concern about status or advancement, while
  men placed greater value on upward mobility;
- prior to departure, women expressed a greater desire for contact with
  the local culture; abroad, they were more involved in the culture;
- women placed more value on and devoted more time to learning
  the local language;
- women expressed more liberal attitudes toward development and
  were seen by their peers as being more caring of others;
- women admitted to experiencing greater difficulty in adjusting to a foreign
  environment than did men, but also reported greater professional satisfaction.

Given the above findings, it is encouraging to note that women are now
participating more in the development process. In 1980, women made up only
four per cent of the advisors involved in the *Canadians in Development* study.
In this study, conducted nine years later, women account for 13 per cent of
the sample. And in 1999, women accounted for 33% of all experts sent on
assignment in support of Canada's development assistance program.

Age

The advisor's age does not appear to be a critical factor in success abroad.
No direct relationship was found between age and stress level, understanding
or effectiveness. And while age had no influence on the degree of satisfaction,
a relationship was found for the source of satisfaction: older people cited
involvement in the local culture as their primary source of satisfaction
and reported themselves to be more altruistically motivated. They placed
a high value on altruism, and were more conservative in their attitudes
toward development.

Education, marital status, type of development and work role

Statistical analysis revealed no significant results with regard to these
background variables.

Situational Variables

Personality versus situational determinants of success

During the past 20 years, there has been considerable debate in the field of social and cultural psychology over the influence of personality and situational variables on sojourner outcomes. While many have maintained that situational factors (e.g., living conditions, job constraints, political interference) exert a controlling influence on an individual's success on an international assignment, this study has demonstrated the role of personality traits in predicting effectiveness abroad. The fact that the same environment is often assessed by some as constraining and by others as liberating indicates that an environment is not a static objective reality experienced in the same manner by everyone, but that an individual's personality influences his/her perception of it. As such, the study supports Bowers' interactionist contention that "situations are as much a function of persons as the person's behaviour is a function of the situation."[14]

It can be argued that the inability of past studies to find a correlation between personality factors and outcomes abroad is the failure of the testing procedures used rather than of the personality traits themselves. This study has clearly shown that personality traits influence the way in which an individual interprets and reacts to a given situation. Furthermore, the way in which one assesses the environment abroad clearly influences the overall outcome. It was found, for example, that people who rated the environment as constraining and much less comfortable than in Canada tended to be rated as less effective in transferring skills and knowledge. Most interesting, however, is the finding that some of the same personality traits (i.e., caring, altruism, and a lack of concern for status or security) predicted both effectiveness at transfer of skills and knowledge and assessment of the environment as comfortable and supportive.

In establishing the importance of personality characteristics, the author is not denying the relevance of situational factors to outcomes abroad. It can be concluded, however, that unless an individual first possesses certain personality characteristics and interpersonal attitudes, there can be no effective transfer of skills and knowledge to people of another culture, regardless of the individual's training or the surrounding circumstances.

---

14 Bowers, K.S. (1973). "Situationism in Psychology: An Analysis and Critique," *Psychological Review* 80, 307-336.

Hardship and satisfaction

Evidence suggests that Canadians posted to countries with the severest living and working conditions reported higher levels of satisfaction than those assigned to countries of lesser hardship. The most likely explanation for this surprising finding is that those in hardship postings are forced to become more involved in coping with the foreign environment and derive satisfaction from the enlarged experience. Faced with a difficult situation, people tend to band together for mutual support. There is more involvement in a helpful and meaningful way with others in the same situation. While there is greater contact with other Canadians and other expatriates, the relationships are more cooperative, positive and supportive than those found in the Canadian ghetto situation. Canadians with easier postings tend to develop more superficial relationships with other expatriates. Their contact with others is often less meaningful and more competitive.

In search of assessment tools

Objective 3

To identify and develop selection instruments for assessing potential advisors on skills critical to international effectiveness.

Discussion

Testing Existing Tools

Having identified a number of personality factors associated with success abroad (i.e., those listed in the profile of the effective technical assistance advisor – see Figure 2), a primary concern was to develop instruments that could be used to evaluate candidates for international assignments on these criteria. To this end, the study decided to test several possible tools.

The **Jackson Personality Inventory**. Three scales were selected from the JPI that measure characteristics known to be associated with effectiveness abroad: *social participation*, a measure of interest and activity in interpersonal relations; *social adroitness*, a measure of one's persuasiveness and the ability to read situations and deal with people; and *conformity*, a measure of one's tendency to be a follower rather than a leader.

The **Interpersonal Skills Index** was adapted from the **Personal Dimensions Inventory** used by Hawes and Kealey in the *Canadians in Development* study and addressed fifteen items associated with *interpersonal skills*.

The **Pre-Departure Expectations and Attitudes to Development Scale** was developed to measure *realistic pre-departure expectations, attitudes to development, desire for contact with nationals,* and *family/spouse closeness.*

The **Self-Monitoring Scale** was used to assess self-monitoring behaviour, that is, the degree to which an individual attempts to control the images and impressions others form of them during social interaction. The scale used is a 25-item true/false test.

IN SEARCH OF ASSESSMENT TOOLS   **DISCUSSION**

The **Group Embedded Figures Test** was used to test *cognitive style*. This timed test consists of 18 separate complex figures. The task for the respondent is to find a simple form which is embedded in each of the figures.

The **Job Values Inventory** was a 19-item scale used to measure an individual's *job values* and *career priorities*.

Findings

New Tools for Assessment

Having delineated the traits and characteristics most likely to be associated with international effectiveness, how does one measure these? Are any of the research tools used in the study useful as assessment tools for the selection of international advisors?

The findings indicate strongly that the established psychological inventories are of limited use in screening candidates for international assignments. However, three instruments developed for the study have proved useful:

- the **Living and Working Overseas Inventory**, measuring interpersonal and other related skills associated with intercultural effectiveness; completed by the candidate.[15]

- the **Interpersonal Behaviour Checklist**, an instrument for obtaining colleagues' and supervisors' assessment of the degree to which the candidate possesses the critical skills for effectiveness. References, submitted by the candidate, would be asked to complete the checklist in lieu of writing a letter of reference.

- the **Development Communication Index**, a field instrument used to assess the quality of communication and the accuracy of perception between Canadian advisors and their national counterparts working on a development project. This index presents 30 scenarios related to such issues as project progress and adaptation skills. The advisor and counterpart are asked individually to respond to each situation and to predict how his/her counterpart would likely respond. The instrument is designed as a problem-solving tool, i.e., the responses can immediately be fed back to advisors and counterparts and can serve as the basis for workshops on team-building and cross-cultural communication.

---

15 This inventory has been further refined and developed as a result of its use with international corporations, both private and voluntary, in North America and Europe. The inventory is now called the *Intercultural Living and Working Inventory* (ILWI),

These instruments have proved useful because their content deals primarily with practical, relevant and behaviour-based scenarios. Accordingly, respondents are likely more at ease because they complete items which appear relevant to the challenge of living and working in another culture.

The failure of traditional psychological inventories to predict outcomes abroad should not be construed as an indication of the irrelevance of personality characteristics in predicting success. As discussed previously, personality characteristics and attitudes play a critical role. The problem here is not the relevance of the characteristics but the measurement of them.

One possible explanation for the failure of psychological inventories may be found in the negative reception they received from the development assistance workers tested. Many felt that the questions asked were either irrelevant or inappropriately intrusive to their private lives. On the other hand, the three scales that were effective were more behaviourally anchored. In these, respondents were asked to predict how they would react in a given situation rather than being asked to respond to such statements as "I often question whether life is worthwhile."

Finally, the study found that an individual's interpersonal skills and effectiveness were more accurately assessed by his/her peers than through the individual's self-ratings. Advisors tended to portray an overly-positive self-image in the testing. For example, many claimed to experience little or no culture shock; others rated themselves as highly involved in the local culture and highly effective in the transfer of skills and knowledge. These self-assessments were contradicted, however, by their peers and by researchers' observations during field interviews. Assessments by peers were generally substantiated by the researchers' observations, while there was poor correlation between advisors' self-assessments and the assessments of either their peers or the researchers. In seeking accurate tools for assessing candidates, it would seem that those involving peer ratings would provide a more accurate measure of an individual's interpersonal skills and effectiveness at transferring skills and knowledge than would those tools that rely on the individual's self-assessment.

Developing a new theory regarding culture shock

Objective 4

To clarify the relationship between predictors of acculturative stress (culture shock) and effectiveness abroad.

Discussion

Culture Shock and Effectiveness

Evidence from the *Kenya Study* suggests that some people who were judged the most effective at transferring skills and knowledge experienced great difficulty in adjusting to a new culture. In trying to understand this, the following reasoning has been put forward. Advisors who are cross-culturally effective have been shown to be more socially oriented and to rely on their broad knowledge of social cues to read their environment and interact accordingly. In a new environment, these cues are no longer relevant; they are confronted with new cues and different expectations that are both unsettling and stressful. Adding to this is the separation from family and friends, which is particularly stressful for someone socially oriented.

As a result, acculturative stress is intense during this period of transition because culture shock is not simply meeting the new and unknown but is also a consequence of the loss of the old and familiar. An aim of this study was to attempt to verify whether or not the interpersonal skills known to be associated with effectiveness abroad are also predictive of greater acculturative stress during the initial stages of adjustment. Clearly, documenting a relationship of this kind would have important implications for the future selection and preparation of international personnel.

Findings

Culture Shock and Effectiveness

As was found in CIDA's two previous studies, interpersonal skills were associated with effectiveness abroad, as judged by one's Canadian colleagues and national counterparts. Interestingly, however, the presence of those skills – flexibility, respect, attentiveness, cooperation, control and sensitivity – is also associated with greater difficulty in adjusting to a foreign culture. People who were judged by their peers to be most effective abroad were also likely to experience the greatest degree of culture shock during the transition period. Accordingly, this study provides further evidence to support a new acculturative stress model.

Although these findings seem counter-intuitive, they are (as discussed above) perhaps not surprising. People with well-developed interpersonal skills place a high value on the people in their lives. In moving to a foreign culture, they are cut off from their friends and family in Canada and are unknown in their new environment. They experience acculturative stress from both a sense of loss of the old and familiar and a confrontation with the new and unfamiliar. That initial sense of loss is diminished as they become settled in the new environment and establish new relationships.

These findings have important implications for the selection of international personnel. To date, many recruiters have stressed adaptability as a primary consideration for selection and look for an individual who will experience the least acculturative stress, i.e., someone who can move to a foreign country and begin functioning immediately. Results of this study recommend against this practice, as at least some of the individuals who ultimately will be most success-ful at transferring skills and knowledge will also undergo severe culture shock. By selecting only those individuals judged as highly adaptable, recruiters and development agencies may be screening out some of the best candidates.

It needs to be emphasized that the correlation between peer-rated interpersonal skills and peer-rated effectiveness also shows that there is a consensus on the definition of effectiveness abroad. Clearly, effectiveness at transferring skills means the capacity to demonstrate in one's behaviour obvious social skills, social interest, and a commitment to assisting others in the task of development.

FINDINGS   **DEVELOPING A NEW THEORY REGARDING CULTURE SHOCK**

Interestingly, interviews conducted for this study with senior executives
of private firms revealed a different perspective on what constituted success.
For many private corporations, success means having employees who will
remain abroad throughout their term without having to be repatriated. Given
CIDA's increased reliance on executing agencies to implement its development
projects, a potential conflict of objectives exists. Steps must be taken to ensure
that private firms recruit those who are effective at transfer of skills and
knowledge and not merely someone who will "survive" the posting.

The dynamics of effective transfer: a model

Objective 5

To test and refine a model of effective transfer proposed
in the Canadians in Development study.

Discussion

A Path to Effectiveness

This model posited that an individual possessing a high degree of professional,
personal, and interpersonal skill has a greater chance of becoming interculturally
active while abroad. S/he is more motivated, committed to, and interested in
participating in the local culture, and once overseas, becomes highly involved
in that culture. This interaction establishes a foundation for mutual trust and
respect between the advisor and the nationals with whom s/he is working.
Trust and respect lead to a greater understanding between the advisor and
his/her counterparts, which in turn facilitates learning and the transfer of
skills. Figure 6 depicts the process of effective transfer as described in the
Canadians in Development study.

For this process to work, however, a commitment to the transfer of skills is
essential; the task is not easy and requires a good deal of effort and determination.
Also, the transfer of skills in a cross-cultural setting is a complex process that can
be disrupted by external factors. A lack of human resources, political interference,
a lack of qualified counterparts, the absence of equipment, supplies, or back-up
facilities, or the unadaptability of a particular technology can inhibit the transfer
despite the skills and determination of advisor and counterpart. Nevertheless, the
personal and interpersonal qualities and skills outlined above are necessary for
effective transfer of skills. Although possession of these skills does not guarantee
success, given the uncontrolled external factors involved, without them there is
little potential for transferring skills and knowledge. The personal characteristics
of the advisor are the essential base for effective technical assistance.

Figure 6
Dynamics of effective transfer: A model
Canadians in Development study 1980

Pre-Departure

Person with professional & interpersonal skills outlined in Figure 2 (p. 14) including:
- has some concerns about living overseas
- expects a rewarding experience
- realistic expectations

Interaction & Relationship Buildi

- learns local language
- initiates interactions with local people
- seeks knowledge about country

Figure 7
Dynamics of effective transfer: A new model

Pre-Departure

Person with professional & interpersonal skills outlined in Figure 8 (p. 54-55) including:
- has some concerns about living overseas but is confident in his/her ability to adapt
- expects a rewarding experience
- expresses desire for contact with local culture
- confident

Interaction & Relationship Buildi

May experience difficulty or stress in adjusting to the new environment

- learns local language
- initiates interactions with local people
- seeks knowledge about country

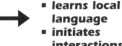

- desire/motivation for interaction/ learning is increased

- adjustment stress is minimized
- satisfaction is increased

DISCUSSION **THE DYNAMICS OF EFFECTIVE TRANSFER: A MODEL**

- Text in blue represents 1980 study.
- Text in red represents the new model.

- **national
  begins
  to respect
  and trust
  the Canadian**

➡️ **Transfer of
skills and
knowledge**

- **increased
  understanding
  between
  national and
  Canadian**

- **national
  begins
  to respect
  and trust
  the Canadian**

➡️ **Transfer of
skills and
knowledge**

Findings

A New Path to Effectiveness

As can be seen in Figure 7, evidence from this study presents a more complete picture of the path to effectiveness at transferring skills and knowledge. The advisor possessing the necessary professional skills and commitment and demonstrating key interpersonal skills and other orientations listed in Figure 8 in the next section is more motivated, committed to, and interested in participating in the local culture. Once overseas s/he does become highly involved in that culture. A high degree of contact fulfills his/her expectations and desires, resulting in less stress and increased satisfaction. As discussed in the previous section, many advisors who do become highly effective report initial difficulty coping with the stress of the transition; in time, however, these advisors go on to heavily involve themselves in the local culture. It is this contact, this participation in the culture, that serves to enhance overall life satisfaction.

This sense of well-being, in turn, serves to fuel their interaction with and interest in learning about and experiencing the new culture. And it is this substantial commitment to being interculturally active and committed to training local staff that leads to the growth of understanding between the advisor and his/her national counterparts. Greater understanding is likely to contribute to an increase in trust and respect on the part of the national. Learning is facilitated by this foundation of mutual trust and understanding, and an effective transfer of skills and knowledge can occur. Certainly, the evidence from this study indicates that the Canadians who demonstrated the greatest understanding of their counterparts were also often those who were rated as most effective at transferring skills and knowledge. Effectiveness depends, therefore, on the advisor's ability to understand the nationals with whom s/he works and to gain their respect and confidence.

Other key findings

In addition to the study's success in meeting the objectives of the research as discussed in the previous section, there were other important findings:

A New Profile of Effectiveness

Results of this study confirmed the profile of the effective technical assistance advisor presented in the *Canadians in Development* study (see Figure 2) and extend those findings, enabling us to further define the personal characteristics shared by those most effective in the pre-departure phase of an overseas assignment – important for their implications in developing selection and assessment tools – as well as characteristics displayed on assignment in the overseas posting (see Figure 8). While candidates for overseas assignments will never possess all of the characteristics of the "ideal" advisor, the profile provides a measure of desired characteristics – those associated with overseas effectiveness.

Figure 8
The new profile of the effective technical assistance advisor

1. Professional qualifications

Qualifications include appropriate educational background, training and experience along with commitment to the international assignment. The individual should understand how professional and technical skills must be modified to fit local conditions and constraints.

2. Observed behaviour

Interpersonal skills

Flexibility:	Flexible response to ideas, beliefs or points of view of others; open.
Respect:	Response to others which helps them feel valued; attentive and concerned; acknowledges others.
Listening:	A good listener who accurately perceives the needs and feelings of others.
Relationship-building:	Demonstrated ability to build and maintain relationships; trusting, friendly, and cooperative.
Control:	Calm and in full control when confronted by interpersonal conflict or stress.
Sensitivity:	Sensitive to local social, political or cultural realities.
Empathy:	The ability to read suffering or discomfort on another person's face and competence in perceiving the needs and feelings of others.
Perseverance:	A determination to work for the goals, even when tasks get overly frustrating.
Team work:	Prefers to work with others rather than alone.
Tolerance for ambiguity:	Lack of structure and clarity is not an impediment to functioning (i.e. low concern for security of employment, working relationship with boss, well-defined job situation and good physical working conditions).
Social adroitness:	Skill at reading social situation; diplomacy; skill at persuading others to achieve certain goals.
High self-monitoring:	Regulating his/her behaviour to meet the needs of the situation.

Self-assertion/identity

Initiative:	One of the first to act, make suggestions or propose a plan of action.
Confidence:	Expresses and demonstrates self-confidence with regard to personal goals and judgment.
Frankness:	Frank and open in dealing with others.
Upward mobility:	Low need for high earnings, to live in a desirable area, advancement or prestige and status.

3. Self-perception
- Open/non-ethnocentric
- Harmony with others
- Frankness
- Self-confidence/initiative
- Family communication
- Open/flexible
- Outgoing

4. Expectations
Confident pre-departure expectations
Prior to departure, the individual should be aware of the constraints and barriers to effective performance. Personal confidence in coping with living and working conditions is important as a prediction of success; individuals should at least be fairly optimistic about success.
- Has some concerns about living overseas but is confident in his/her ability to adapt
- Expects a rewarding experience
- Expresses desire for contact with local culture

■ Text in blue represents 1980 study.
■ Text in red represents the new profile.

Advisor Effectiveness

From advisor interviews and ratings by colleagues and national counterparts, the research team found that only about 20 per cent of Canadian advisors abroad are highly effective, as measured by their ability to transfer skills and knowledge. The vast majority (65 per cent) were rated as having little impact, being neither highly effective nor disruptive, and 15 per cent were seen as being highly ineffective.

The poor ratings reflect the difficulty of the task facing Canadian advisors. The transfer of skills and knowledge is very demanding, requiring a great deal of commitment, energy and perseverance while offering few incentives. It demands a high degree of understanding, cooperation and patience, and a willingness to overcome a variety of interpersonal, cultural, social, economic and political obstacles. Faced with these difficulties, many advisors retreat, seeking solace

OTHER KEY FINDINGS

in the company of other Canadians and the "expatriate ghetto." Those who do accept the challenge are often faced with the additional obstacle of alienation from the Canadian community, which may see the effective advisor as a reproach to their own lack of involvement.

Effectiveness Versus Satisfaction

Regardless of how effective they are in their assignments, most Canadians are satisfied with their international experience. Seventy-five per cent of Canadians in the study reported higher levels of life satisfaction abroad when compared to their previous life in Canada. Figure 9 shows the relationship between satisfaction and effectiveness. Why is it that so many are satisfied living in their new culture and yet so few (20%) are highly effective. One possible explanation is that Canadians derive their satisfaction from "living the foreign lifestyle" (i.e., enjoying frequent socializing with other expatriates, having servants, drivers etc.) rather than meeting the professional challenge. To be effective professionally requires substantial participation in the local culture, learning the local language and socializing with local colleagues committing oneself to these activities is very demanding and is therefore often avoided.

Given the above finding, it is perhaps surprising that only 20 per cent of Canadians interviewed felt that their living conditions were better than in Canada. In fact, 45 per cent felt that their living conditions were less comfortable than in Canada, while 35 per cent reported no change.

Sixty-five per cent of Canadians reported that the different environment was not a constraint on their effectiveness on the job.

Figure 9
Overseas satisfaction versus overseas effectiveness

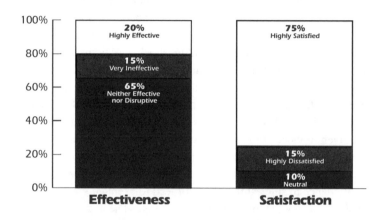

The Price of Effectiveness for the Advisor

The skills and preferences that help an advisor to be effective may also alienate him/her from the Canadian community abroad. Those who were rated most effective tended to be more involved with the local people and the host culture and had made an effort to learn the local language. While that openness leads to greater involvement in the country, it often brings with it separation from other Canadians in-country who view such behaviour as threatening. Those who make an effort to get involved with the local culture may experience greater personal stress as a sense of separation from one's countrymen is added to the normal stress of cross-cultural adaptation. The tendency of these advisors to experience greater levels of initial culture shock as well points to the necessity of providing greater in-country support services.

OTHER KEY FINDINGS

The Importance of Culture Shock

Although 65 per cent of Canadians in this study initially denied experiencing any culture shock, 55 per cent admitted in subsequent interviews to suffering to some degree. Evidence suggests that most do experience initial difficulty in coping with the cross-cultural transition but they may feel there is a stigma attached to admitting it. Experiencing culture shock is seen by many as a weakness, to which one should not admit.

Previous researchers have viewed culture shock as a negative – albeit widespread – result of cross-cultural adaptation and have sought ways to alleviate or eliminate it. This attitude has been responsible in part for the preference given to those with previous international experience during the selection of personnel for assignment abroad. As discussed previously, however, while previous experience often leads to a faster and easier initial adjustment, there is no evidence to suggest that this will lead to eventual greater effectiveness. Our attitudes about culture shock must change. The negative connotations must be replaced with a realization that it is an inevitable part of the process of cross-cultural adaptation. The fact that a large percentage of those who will be most effective abroad will initially experience severe culture shock only emphasizes the need for in-country support for advisors and their families.

The Stages of Cross-Cultural Adaptation

Past research has identified three distinct phases in the process of adaptation experienced by an individual posted on a two- to three-year assignment abroad. An initial phase of elation is followed by a period of depression; with time, depression gives way to renewed feelings of satisfaction. A graph of this process shows a "U" curve, or a "W" curve[16] if re-entry into the individual's home culture at the end of the assignment is included in the graph (the individual would repeat these three stages of adaptation as s/he re-enters the home culture).

The findings of this study shown in Figure 10 challenge the traditional "U" curve theory of cross-cultural adaptation. Approximately 35 per cent

---

16 Gullahorn, J & Gullahorn J (1963). An extension of the U-Curve Hypothesis. Journal of Social Issues, 19, 33-47. Gullahorn and Gullahorn described these stages initially as the "U-curve" of adjustment and, later, as the "W-Curve" to account for the same three stages repeating themselves during re-entry to one's home culture.

Figure 10
The stages of cross-cultural adaptation

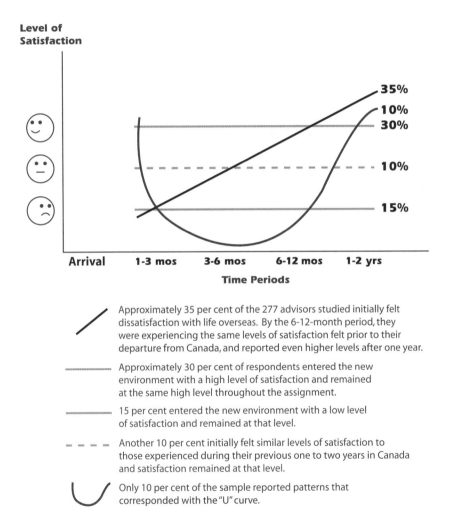

Level of Satisfaction

35%
10%
30%

10%

15%

Arrival 1-3 mos 3-6 mos 6-12 mos 1-2 yrs

Time Periods

Approximately 35 per cent of the 277 advisors studied initially felt dissatisfaction with life overseas. By the 6-12-month period, they were experiencing the same levels of satisfaction felt prior to their departure from Canada, and reported even higher levels after one year.

Approximately 30 per cent of respondents entered the new environment with a high level of satisfaction and remained at the same high level throughout the assignment.

15 per cent entered the new environment with a low level of satisfaction and remained at that level.

Another 10 per cent initially felt similar levels of satisfaction to those experienced during their previous one to two years in Canada and satisfaction remained at that level.

Only 10 per cent of the sample reported patterns that corresponded with the "U" curve.

of the 277 advisors studied initially felt dissatisfaction with life overseas; by the 6-12-month period, they were experiencing the same levels of satisfaction felt prior to their departure from Canada, and reported even higher levels after one year. Approximately 30 per cent of respondents entered the new environment with a high level of satisfaction and remained at the same high level throughout the assignment. Fifteen per cent entered the new environment with a low level of satisfaction and remained at that level. Another 10 per cent initially felt similar levels of satisfaction to those experienced during their previous one to two years in Canada and satisfaction remained at that level. Only 10 per cent of the sample reported patterns that corresponded with the "U" curve.

Given the long-standing acceptance of the "U" curve, this study's results should be viewed with some caution. It should be noted, however, that many Canadian advisors in the early months of an assignment experienced high levels of stress, in sharp contrast to the initial elation suggested by the "U" curve. These findings and critiques by other researchers suggest the need for further study in this area.

The Reality of the Expatriate Ghetto

One of the questions most frequently asked by Canadians preparing to go abroad on an assignment is, "How can I or how should I deal with a culture whose customs and values conflict with my own?"

According to Berry,[17] there are four ways of responding:

- **Assimilation** – acceptance of the new culture while rejecting one's own culture
- **Integration** – adaptation to the new culture while retaining one's own culture
- **Separation** – maintenance of one's own culture by avoiding contact with the new culture
- **Marginalization** – the inability to either adapt to the new culture or remain comfortable with one's own culture

---

17 Berry, J.W. (1980). "Acculturation as Varieties of Adaptation," in A. Padilla (Ed.) *Acculturation: Theory, model, and some new findings*. Washington: AAAS.

The study found that the majority of Canadians abroad choose a separation mode of adaptation. It is obvious from observations and interviews with advisors, spouses and national counterparts that, at most, 50 per cent of Canadian advisors participate in the local culture to any significant extent. While some make an effort to learn the language, familiarize themselves with the country, or meet and get to know nationals, at least half of all Canadians abroad have little interaction with the host culture or its people. Canadians in developing countries tend to live in expatriate enclaves, or ghettos; they associate primarily with other Canadians, limiting their contact with people of the host country. As such, they become "tourists" rather than "participators" in the country's social and professional development. A small minority choose to integrate, attempting not only to get to know the local people, their language and their culture, but also to become a part of the new culture. Very few Canadians choose the extremes of assimilation or marginalization, probably because of their limited stay overseas (usually two to three years).

The "Expatriate ghetto" poses a dilemma for those responsible for selecting international advisors. On the one hand, the expatriate community provides a support structure for personnel, helping to lessen stress and ease the period of adjustment. (This explains, in part, the high level of satisfaction reported by Canadians abroad regardless of their overall effectiveness.) On the other hand, that support structure provides an easy way out for those who find the challenge of establishing effective relationships with nationals difficult. By retreating into the ghetto, expatriates effectively turn that support structure into a barrier preventing meaningful contact with nationals, and hence fail in their efforts to transfer skills and knowledge.

The Role of Motivation, Attitudes and Expectations

It is no exaggeration to state that motivation is the key to effectiveness abroad. Those who were motivated and committed to contributing something to the development process when they went abroad reported that their greatest satisfaction came from participation in the development process, from meeting and getting to know nationals, and from their involvement in the local culture. And those who derived great satisfaction from cultural interaction were also rated as highly effective, by both their peers and the researchers. A professional commitment and a desire to help are a fundamental requirement for effectiveness abroad. Without these, interpersonal skills are insufficient to ensure an effective outcome.

OTHER KEY FINDINGS

It has long been commonly held that realistic pre-departure expectations and a willingness to get involved in the new culture are important contributors to success internationally. Those assumptions were explored in this study and reveal some interesting findings.

As predicted, a pre-departure desire for contact with the local culture was found to be associated with participation in the new culture and a higher rate of effectiveness, as judged by one's peers.

Those expressing a desire for contact also reported lower stress and higher satisfaction, and were more likely to learn the local language. Clearly, people who, prior to departure, express a desire to learn about and involve themselves in the local culture tend to establish the highest levels of contact and are rated most highly by their peers on effectiveness.

Surprisingly, however, the study found that those who had scored high on having realistic pre-departure expectations tended to have greater stress in adjusting, less contact with the local culture, less understanding, less satisfaction, and a low level of effectiveness. One possible explanation is that our test items were not measuring realistic expectations but measuring instead pre-departure self-confidence for coping with the transition. In this case it is clear that this type of self-confidence prior to departure is associated with higher levels of satisfaction in the new environment. Ambivalence about going abroad or excessive apprehension or fear about the future were found to be negative indicators with respect to adaptation.

The Role of the Family

The examination of family closeness revealed double-edged results. As one might expect, Canadians traveling abroad in a close family situation experienced lower levels of stress and higher levels of satisfaction. However, close family ties also reduce contact with the local culture, and this contact has been shown (above) to greatly assist effectiveness in the transfer of skills. This finding is supported by the further observation that people with no children become more involved in the local culture than those with accompanying children.

It is a well established fact that families and couples abroad either grow closer together or further apart. The stress of adaptation challenges all relationships. If couples and families are not close and/or have poor communications prior to departure, it is unlikely that they will adapt well to the new environment. This must be an important consideration in the recruitment and selection of advisors.

Portraits: the people behind the findings

This study reveals fascinating findings about cross-cultural effectiveness, personnel selection, adaptation and social and cultural theories. But what about the people behind these findings? From interviews with advisors, spouses, colleagues, and national counterparts, we are able to build a portrait of a typical Canadian advisor and his/her spouse. We also find that how individuals see themselves often bears little resemblance to how they are seen by *others*.

The Canadian Advisor

The typical Canadian advisor is a male between the ages of 40 and 50. He was born in Canada, where he has lived at least five years of his life. His mother tongue is English (47 per cent) or French (44 per cent), and he is well educated, having at least one university degree. He is married and is accompanied on this assignment by his spouse.

Our advisor is a professional working. for a private Canadian firm that is under contract to CIDA. No stranger to the developing world, he has had at least one previous international posting and has spent at least two years working in developing countries. On this assignment, he is working in an urban setting as part of a team. He will be working directly with a counterpart from the country of assignment in a management capacity.

PORTRAITS: THE PEOPLE BEHIND THE FINDINGS

As Seen by Self

Our advisor sees his role as an advisory one, involving training and the transfer of skills and knowledge. He approaches this assignment with confidence. His interest in the host country is high and he is not worried about his ability to adapt. He is confident that he will do well on the assignment and that he can make a significant contribution to development efforts in the country. He feels he has better than average interpersonal and communication skills. And although he considers himself to have a high sense of adventure and altruism, he is concerned about his security and places a high value on upward mobility.

A desire to give and/or learn lies behind our advisor's acceptance of the assignment. His attitudes on development are fairly conservative, and he views the transfer of technology as the key to improving economic prosperity in the developing countries and narrowing the gap between rich and poor nations. He sees no need for the developed world to limit its standard of living and supports Canada's policy of tied aid, which requires that the majority of our development dollars be spent on the purchase of Canadian goods and services.

On assignment, our advisor expresses a great deal of satisfaction in his personal, family, and professional life and experiences a high degree of involvement in the local culture. In his mind, the process of adaptation has been a smooth one involving little culture shock, and he feels more satisfaction with his life abroad than he did previously in Canada.

On the job, he feels that his terms of reference are well defined and understood, and that both he and his colleagues have been highly effective in the task of transferring skills and knowledge. to their national counterparts. Although status differences exist between himself and his counterpart, he does not see this inhibiting their working relationship. And while he feels that his living conditions are generally less comfortable than those in Canada, he does not see this as an impediment to his assignment.

As Seen by Others – a Less Optimistic Portrait

The views and attitudes expressed above are the advisor's perceptions of himself. A different and less optimistic portrait emerges, however, from field interviews with spouses, colleagues, and counterparts as well as observations made by field researchers.

As seen by others, our advisor has minimal involvement with the local culture, preferring instead to spend his leisure and social time in the company of other Canadians and expatriates. He has made little effort to learn the local language, and is likely to spend little time outside the job with his counterpart or other nationals. Although he is able to accurately identify the key factors which promote success on a development assignment, he is less able to actually demonstrate the required skills and interest in his own behaviour.

As Seen by National Counterparts

Nationals generally express a genuine openness to Canadians willing to assist in their country's development. Interviews with 136 nationals from 18 countries showed a willingness to work with Canadians and learn from them, but also revealed two major areas of concern and frustration with their Canadian advisor counterparts:

- the nature and quality of relations between advisor and nationals on and away from the job,
- the advisor's competence, to effectively transfer skills and knowledge.

> **Ghana does not work like Canada. Instead of Canadians simply imparting knowledge, they must first adapt themselves to the existing procedures before they can hope to improve on it or make any changes. There is a tendency on the part of Canadians to assume things and not ask the locals how something works. There is a covert lack of confidence on the part of Canadians as to the abilities of Ghanaian counterparts.** *(Ghanaian counterpart)*

Poor communications and interpersonal relationships were most often cited as reasons for ineffective transfer of skills. Nationals listed teamwork, respect, and advisor dedication as essential to effective transfer of skills and emphasized the need for advisors to show a willingness to learn about the country's culture and language. Many nationals complained of a lack of communications, a lack of receptiveness, and a lack of acknowledgement of their own skills and abilities. Too many Canadians treat their counterparts not as equals but subordinates who then felt excluded from decision-making.

> **Canadians should have a desire to get to know the people informally. You must try to learn about your counterpart – understand him, share ideas, do things together. The national's experience should be respected and used. Be personal and do not take special attention for granted.** *(Indonesian counterpart)*

PORTRAITS: THE PEOPLE BEHIND THE FINDINGS

One frequent complaint was of the Canadian advisor as "tourist" who comes to the country but has little involvement with the people or their culture. The importance of involvement with the local culture was stressed, and learning the local language was seen as a sign of respect and indicative of a willingness to get involved.

> **Canadians come wanting to help but they need to be involved with the local people. There should be hands-on training, especially if there is a language barrier. Canadians should take the time to know the people and problems.** *(Zairean counterpart)*

PORTRAITS: THE PEOPLE BEHIND THE FINDINGS

Nationals were generally satisfied with the professional competence of their Canadian counterparts; advisors were rarely criticized on their technical abilities. Nationals often felt, however, that the advisors were poorly equipped pedagogically to transfer skills and knowledge effectively. They stressed the need for advisors to be able to teach and the importance of sharing their knowledge with counterparts rather than restricting their involvement to boss/subordinate relations.

Canadians must want to work with Tanzanians; they must be respectful. They must be good communicators and be able to pass on their knowledge; they must be good teachers. They must get involved hands-on and not only be directive. We prefer them to come as advisors to encourage self-sufficiency. *(Tanzanian counterpart)*

Developing countries have definite ideas about what they want from donor countries and their advisors; no longer are they willing to take whatever donors have to give. They have their own requirements for the type of advisor they want and have become more vocal about what they expect.

A consensus exists among nationals on what constitutes a successful advisor. Characteristics include:

- a willingness to treat counterparts as equals, speaking to them as equals and sharing one's office and duties with them;
- a willingness to spend time with counterparts, professionally and socially, making an effort to get to know the counterpart and his/her family;
- an interest in the counterpart's culture, and a willingness to attempt to learn the local language;
- an interest in more than just doing the job; and,
- a lack of concern for racial or status differences.

We have a strong team of Canadians and Egyptians. There is excellent cooperation and exchange between the two groups. The Canadians are working as Egyptians and not as Canadians. One does not hear them say, 'in Canada, we do it this way ...'. The friendship between Egyptians and Canadians has helped a lot in making this transfer very effective. *(Egyptian counterpart)*

PORTRAITS: THE PEOPLE BEHIND THE FINDINGS

The Spouse

As part of the study, researchers interviewed 146 spouses – 136 women and 10 men – in the field to determine the situation faced by spouses abroad and understand the issues of particular importance to accompanying spouses. Of those interviewed only 30 per cent reported working outside the home as either a volunteer or a paid employee.

Spouses who accompany their advisor partners on an international assignment face difficulties in four main areas:

- difficulty in adjusting to the foreign culture,
- a sense of isolation and dependence,
- lost career opportunities,
- increased strain on marital and family relationships.

While most Canadians experience culture shock, accompanying spouses face additional difficulties in adjusting to a foreign environment. The spouse usually faces the responsibility of getting the house and family established, as advisor and accompanying children are occupied In new jobs and schools. And while those jobs and schools provide some sense of continuity from their life in Canada, the spouse often experiences little that is familiar outside his/her family. The tasks of settling in (e.g., housing, unpacking, shopping), dealing with children's adaptation problems, establishing relationships with domestic staff, loss of privacy, and adjusting to the expatriate community are all stresses faced by the spouse, often unassisted by his/her partner who must cope with the demands of a new job.

Many spouses feel isolated, cut off from all that is familiar in their lives. Advisors often work long hours or are required to travel, leaving the spouse alone. Being cut off from family and friends and often faced with poor communication with the outside world further contribute to a sense of loneliness. An inability to speak the local language makes difficult what was formerly routine, including everything from shopping to using the telephone. Familiar duties are taken over by domestic staff. A lack of transportation and recreation and cultural facilities further compound the sense of isolation. At the same time, the spouse feels less self-sufficient and more dependent on the advisor spouse, both financially and emotionally.

The posting has had a very negative impact. My husband's complete absorption in his work and my own feelings of being left out has made me feel alone, and depressed. Added to this is the lack of a personal support group here. (*spouse in Indonesia*)

PORTRAITS: THE PEOPLE BEHIND THE FINDINGS

Spouses who interrupt their own careers to travel abroad face the additional stress of lost career opportunities. The lack of employment possibilities requires the spouse to shelve career plans, re-enforcing the isolation and dependence already felt and creating a new stress – that of managing an abundance of spare time. Many miss the challenge and recognition of their own work and worry about reentering the job market upon their return to Canada.

> **The expectations of the spouse are rather critical. Spouses with children who have no interest in working find life very agreeable here. Spouses without children and no job find it difficult. The posting can take an incredible toll on a relationship and on a spouse as an individual.** *(spouse in Ghana)*

The international posting can also cause increased strain on relationships within the family. Poor communications and difficulties that already exist within a family are often amplified by the stresses of life abroad and exacerbated by the lack of friends and family one can turn to for support. A close relationship and good communications within the family are essential to the survival of the relationship. Sometimes a posting threatens the marital relationship.

> **Assess the family relationship beforehand. It will be tested! You can always learn to live without ketchup.** *(spouse in Pakistan)*

It should be noted, however, that in most cases the international experience tended to bring families together. Families having to depend more upon one another grew closer and communications improved. Spouses grew closer as a result of the opportunity to spend more quality time together. As one spouse put it, 'it has been good for the marriage – we have rediscovered one another'.

> **I love to learn about another culture, the depth and richness of such a diverse country, and learning the language has been very rewarding.** *(spouse in Haiti)*

PORTRAITS: THE PEOPLE BEHIND THE FINDINGS

Accompanying spouses reported other positive effects as well. Foremost among these was the opportunity for cultural interaction. The opportunity to learn about a new culture, its customs, and values, and to meet new people and learn a new language were considered rewarding. Spouses also felt that they had a good lifestyle abroad once the initial period of settling in was over, and enjoyed the warm climate, having a large house with domestic staff, and opportunities for travel.

> **Depend on yourself; do and find things on your own. It helps to have a degree of self-confidence, being aware of who you are, and a degree of self-sufficiency.** *(spouse in Barbados)*

The spouse can either enhance or disrupt the advisor's potential for effectiveness. For this reason, accompanying spouses should be interviewed as part of the psychological screening process for international assignments. The skills needed by a spouse in order to be well adjusted and effective are essentially the same as those outlined above for the effective advisor. In general, however, the most critical ingredients for ensuring success for the spouse are:

- an active orientation to life (including initiative, self-confidence, and frankness),
- an ability to come to terms with putting one's own career aspirations and needs on hold, and
- a genuine desire to experience and learn about the new culture.

The spouse must take charge of his/her life and establish his/her own mechanism for finding fulfillment.

> **You must come with the attitude that you'll enjoy it and can contribute something. You must have a desire to help the people.** *(spouse in Senegal)*

RECOMMENDATIONS

It would be reasonable to question the relevancy today of research first reported in 1990. However, there is no doubt that these findings are still valid. Intercultural research and practice confirm that international personnel, including spouses and families, experience many of the same difficulties and challenges discussed in this report, and that individuals who will succeed in another culture need to possess many of the skills and traits identified by this and other related research.

International business personnel and volunteer workers face very similar challenges and require a similar set of intercultural skills.

Second, there is evidence that the research findings apply to a broader range of expatriates than just Canadian development advisors, the target group of this study. Experience over the past 10 years advising and consulting with international corporations (both private and voluntary, in Europe and North America) has led the author to conclude that, by and large, international business personnel and volunteer workers face very similar challenges and require a similar set of intercultural skills if they are to be effective working across cultures. There is also a growing amount of published research to support this claim.[18]

---

18 Tung R.L. and Worm V. (1997). "East meets West: North European Expatriates in China". Business and the Contemporary World, Vol.IX,137-148.
Black J.S., Morrison A.J. and Gregersen H.B. (1999). *Global Explorers: The Next Generation of Leaders.* Routledge.

RECOMMENDATIONS

Third, research published in the last 10 years, much of which is emerging from the field of international business and management, makes the point that intercultural skills and knowledge are more critical than ever if companies are to compete in the global marketplace. After studying the management of expatriates by 750 U.S., European, and Japanese companies, Black and Gregersen concluded that "in today's global economy having a workforce that is fluent in the ways of the world isn't a luxury. It's a competitive necessity."[19]

Given the continued relevance and importance of the research findings presented in this report, the following recommendations are presented in the hope of improving the process by which international personnel (including spouse and family partners) are selected, trained and evaluated for living and working in another culture. These recommendations also take into account the recently emerging trends discussed in the new introduction to this report.

---

19 Black J.s. and Gregersen H.B. (1999). "The Right Way to Manage Expats". *Harvard Business Review*, March-April,52-62.

Assessing readiness for an international assignment: the importance of self-selection

Discussion

Too many people go abroad without adequately weighing the pros and cons. In particular, couples often do not make a joint decision on whether or not to accept the posting. Both the individual and spouse/partner must want to undertake the assignment if the expatriate, the couple, and the family are to be effective in the new environment.

Accompanying spouses/partners should carefully examine their motives and expectations for going on an international assignment. It is particularly important that they have their own goals, are prepared to put their own career interests on hold, and are generally positive and hopefully excited about living in a new culture. And if there are adolescent children involved, it is important that their concerns are acknowledged and that they are open to being part of the international adventure.

Recommendation

Informed decision is part of best practice

It is recommended that mechanisms be established to assist individuals to make an informed decision on whether or not this is the right time to accept an international posting. Valuable ways to help individuals or families assess for themselves their readiness to deal with an international transition include:

- Briefings on living and working conditions in the new culture and demands of the job,
- A site visit for the candidate, spouse/partner and older children (8+ years),
- Reflection on assessment results from an instrument such as The Intercultural Living and Working Inventory.

RECOMMENDATIONS

Assessing intercultural competence: the selection process

Discussion

A reliable international selection process must be based on the principle of converging evidence. This simply means that the more differing and multiple the sources of information one has on a particular candidate, the more reliable the resulting selection decision. Accordingly, it is very unwise to use only one source of information in screening people for international assignments, relying on the traditional interview to assess knowledge, skill and readiness for assignment.

This research has contributed to the testing and development of tools for assessing personnel on intercultural skills and readiness for assignment. Additionally, the research findings indicate that previous international experience, although associated with greater ease in adjustment, did not contribute to higher levels of effectiveness.

There is a need to assess individuals (including spouses/partners) on intercultural skills and knowledge. Although it is not common practice to assess the spouse/partner, it is a well established fact (confirmed in this study) that the adaptation of the spouse and family can make or break an international assignment. Also the selection of team leaders or project managers was identified by research subjects as critically important. The research identified some particular skills and knowledge needed by accompanying spouses/partners and team leaders/project managers.

Recommendation

Select for potential effectivenes not survival

It is recommended that recruiters of international personnel do not make previous international experience a requirement for any international position. Candidates for international assignments must be evaluated not only on their potential to adjust personally to the new environment but also on their potential to work effectively in the culture.

Recommendation

Use international assignment screening tool

It is recommended that an international screening tool such as the International Living and Working Inventory (ILWI) be used in conjunction with a behaviour-based interview and behaviour-rated reference checks to assess an individual's intercultural competence and readiness for assignment. The ILWI, in identifying an individual's strengths and weaknesses, can serve to better target the interview and reference checks, both of which should be oriented to gathering behavioural evidence of his/her capacity to demonstrate intercultural skills and knowledge.

Recommendation

Select spouses/partners for important characteristics

In screening the spouse/partner's readiness and competence for successfully completing an international assignment, it is recommended that s/he be carefully assessed on the following characteristics: initiative, resourcefulness, interest in other cultures, and a readiness to put one's career on hold. These characteristics were found to be very important for ensuring a successful outcome.

Recommendation

Team leaders need special skills

In screening candidates for team leader or project manager positions, it is recommended that they be carefully assessed on the following skills: relationship-building, diplomacy, negotiation skills, flexibility, willingness and ability to coach first-time advisors and spouses, ability to clarify the roles and responsibilities of all team members, ability to command respect from both Canadians and nationals, and cross-cultural communication. These characteristics were determined to be a critical part of a team leader's behavioural style.

Recommendation

Link assessment results to professional development

It is recommended that the results of the selection process be linked with training and preparation for the international assignment. Essentially, assessment results can identify "gaps" in the candidate/family's knowledge and skills required for performing effectively in another culture. In this way, the international selection process can serve as a needs analysis for designing an effective intercultural training and preparation process.

RECOMMENDATIONS

Training and preparation for international assignments

Discussion

Results of this research indicate that while most Canadians (75%) are highly satisfied with their lifestyle abroad, far fewer (20%) are highly effective professionally. Other research on expatriates has reported similar findings.

This research also revealed that some of the most effective advisors and spouses/partners initially experienced difficulty in adjusting to the new culture and coping with culture shock.

Poor communication and a lack of understanding between Canadian advisors and national counterparts have resulted in "problem projects" in most countries receiving development assistance. These two concerns were identified by many national counterparts during the study. Intercultural and interpersonal barriers must be broken down if there is to be an effective transfer of skills and knowledge. This is important for all international exchanges. The vast literature assessing the success-failure of international joint ventures identifies intercultural misunderstanding as one of the main reasons for failure.

Recommendation

Train for effectiveness

More emphasis should be placed on training individuals for effectiveness, stressing the realities and difficulties of international work and how to establish effective working relationships with local colleagues. Historically, pre-departure briefing programs have focused on assisting individuals and families to cope and adapt. To be effective in another culture requires much more than successful adaptation and technical competence. Intercultural skills training is needed to develop intercultural competence, and greater emphasis needs to be placed on language training – learning and using local language greatly assists in the building of relationships and achieving trust and respect.

Recommendation

Promote involvement with local culture and provide support for adjustment

Those responsible for recruitment and preparation of personnel for international assignments must change their attitudes toward culture shock. The negative connotations associated with culture shock must be replaced by a realization that culture shock is often an inevitable part of the process of successful cross-cultural adaptation, and that a large percentage of those who will be most effective internationally will initially experience severe culture shock. Pre-departure training should include a session on coping. A support system should be established in the countries of assignment to help expatriates adapt and to assist them in becoming more involved and knowledgeable about the local culture. In-country support services should recognize the special problems faced by accompanying spouses and children and address their particular requirements.

Recommendation

Provide host-expatriate joint training

Key personnel in the host institution, together with the incoming expatriate personnel, should jointly undertake training in cross-cultural management and communication to help forge at an early stage an environment of mutual understanding and respect.

Performance evaluation

Discussion

Results of this study indicate that it is not common practice to evaluate the performance, either personally or professionally, of international personnel. The main concern of the sending institutions is twofold. First, with respect to the individual expatriate, success tends to be defined as the ability to stay for the duration of the assignment and not to complain too much. Second, with respect to the work, the focus is primarily on material outputs or tangible deliverables. Accordingly, little attention is given to the advisor's success in building relationships, learning the local language, training local staff etc.

Recommendation

Monitor intercultural performance

Sending institutions should concern themselves with process as well as task objectives and they should monitor and measure the intercultural performance of expatriate personnel. The recent publication of the behaviour-based Profile of the Interculturally Effective Person[20] presents clear standards for measuring the intercultural competence of individuals living and working in another culture.

---

20 Vulpe, T. Kealey, D.J., Protheroe, D.P. and MacDonald, D (2000)
A Profile of the Interculturally Effective Person. Hull, Quebec: Centre for Intercultural Learning, Canadian Foreign Service Institute

Capacity development

Discussion

Results of this research would argue that both development and commercially-oriented enterprises operating internationally are challenged by the need to build and sustain local capacity. The transfer of skills and knowledge, a traditional goal of technical assistance projects, is also an important aspect of many, if not most, international joint ventures. The intercultural skills identified in this research are those associated with success at transferring skills and knowledge across cultures.

Recommendation

Recruit for intercultural skills
All agencies operating internationally and needing to build local human resource capacity must recruit interculturally skilled personnel and devote more attention to developing better strategies for transferring skills and knowledge.

RECOMMENDATIONS

Short-term versus long-term assignments

Discussion

This study was based on a sample of long-term (2-3 years duration) international personnel. Recent trends, both in development and business, indicate an increasing use of short-term (six months or less) personnel. An important question concerns the relevance of these research findings for short-term personnel. Given that most expatriate-based research is focused on long-term assignees, it is not known to what extent these findings also apply to short-term personnel. However, it can be argued that the skills identified in this study likely do apply and may be even more important for those on short-term assignments given that they have less time to learn how to be effective interculturally and can ill afford to make mistakes.

Recommendation

Research needed on short-term personnel
It is recommended that research be undertaken to better understand the intercultural challenge facing short-term personnel and to identify the skills they need to be effective on their international assignments.

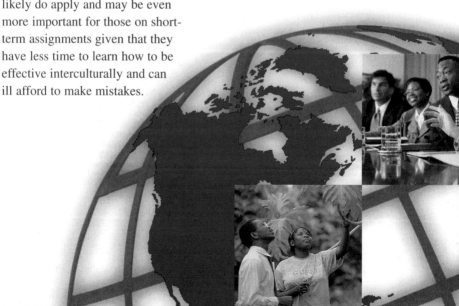

Women as development advisors and international managers

Discussion

Results of the study clearly support the potential for the effectiveness of women on international assignments. In fact, women were found to score significantly better than men on a number of skills and attitudes associated with effectiveness abroad. Traditionally, however international technical assistance positions have been dominated by technical professionals, the majority of whom have been men. There is now mounting evidence that increasing numbers of women are undertaking international assignments. Accordingly, an increasing number of men are now the accompanying spouse/partner. Currently, there is little or no research on the challenges faced by men assuming this role.

Recommendation

Research needed on men as accompanying spouses

It is recommended that research be undertaken to explore the experience of men as an accompanying spouse/partner abroad, assessing their adaptation and identifying the particular challenges they face and the key skills they need to adapt effectively.

RECOMMENDATIONS

The reality of the Internet

Discussion

Does increasing use of the Internet as a vehicle for communication help or hinder an individual's potential for becoming interculturally effective? Being able to keep in touch so easily with friends and colleagues "back home" may mitigate the negative effects of culture shock, thereby enabling one to cope more easily in a new environment. On the other hand, maintaining extensive contact with people in one's own culture may mean that one is avoiding the challenge of building personal and professional relationships in the host culture, an absolutely vital ingredient for becoming effective in a new environment.

Recommendation

Research needed on the impact of the Internet
It is recommended that research be undertaken to assess the impact of the Internet on the overall adaptation and effectiveness of international managers and advisors.

POSTSCRIPT

In looking back on these research findings as well as my research prior to 1990, I recognize that two major issues have dominated much of my work over these past 25 years. First, my early research focused on trying to answer the question, **What does it take to be effective in another culture?** As I and other researchers, particularly in the 70's and 80's, answered this question by establishing empirical profiles of intercultural success, a second question then came to dominate my research. This had to do with whether or not we could identify or develop tools that would predict an individual's success in living and working effectively in another culture. I believe that the research reported herein has contributed significantly to answering that question. Since publication of these research results, I have been able to modify and further develop one of the key selection instruments tested as part of this research project, *The Intercultural Living and Working Inventory* (ILWI). This instrument has been modified to fit the context of international business personnel as well as international development advisors. Over the past 10 years, it has been used and tested by corporations and development agencies both in North America and Europe.

Sound research can and will contribute significantly to improving international development, diplomacy and business.

And what has been their experience with the test? Use of the ILWI, combined with a behaviour-based interview procedure, has helped one company reduce its early return rate from 15% to less than 1%. Another major international banking institution has used the ILWI for pre-screening and career development of personnel. In wanting to develop an interculturally skilled and experienced group of managers, this institution used the ILWI to assess an individual's level of intercultural competence and readiness for international assignment. ILWI results were then used to guide the design of individual plans for developing intercultural skills and preparing candidates for future international assignments. Other companies have used the ILWI primarily as a screening tool to help assess the level of risk in posting a particular person and his or her family. In this way, the ILWI helps managers to better determine if a particular candidate is ready to cope with the challenges of undertaking an international assignment.

Finally, let me conclude by noting that a new issue, a third question, has been driving the research interests of myself and colleagues. The question is the following: **Can we identify and describe more specifically the actual behaviour of interculturally effective persons?** Although the profile of the effective technical assistance advisor identified in this research remains useful and valid, we still need to describe more precisely what it is that interculturally effective people do. In other words, how does an individual demonstrate that he is being interculturally effective? What does interculturally effective behaviour look like?

With the publication of *A Profile of the Interculturally Effective Person* (IEP), we now do have a comprehensive and detailed description of the behaviour demonstrated by interculturally effective persons. In the coming months, it is the intention of the authors to produce a series of workbooks based on the ILWI and IEP to be used as additional tools for improving the selection, training and evaluation of expatriate personnel. For example, there will be a *Guide for Intercultural Behaviour-Based Interviewing* designed to help interviewers assess candidates more fully on the ILWI characteristics and the behavioural competencies outlined in the IEP. Also the *Interpersonal Behaviour Checklist*, a tool designed for this research, will be revised to align directly with the ILWI and IEP. The aim here would be to have those who are providing references for candidates complete this checklist; it asks them to rate the individual's behavioural competency rather than just providing the traditional letter of reference. Other tools being considered are an *Intercultural Performance Evaluation Index and a Guide for Developing Intercultural Skills and Knowledge*. The former could be used as part of the overall performance appraisal process and the latter would be a self-development guide, a tool for use by an individual who wishes to become more skilled interculturally and more prepared for undertaking an international assignment.

So much has been accomplished since the original publication of this research and much has still to be done. It is clear, however, that sound research can and will contribute significantly to improving international development, diplomacy and business.

KEY FINDINGS OF THIS STUDY – AT A GLANCE

▶ This study has established a new theory clarifying the relationship between predictors of acculturative stress (culture shock) and international effectiveness. People judged by their peers to be most effective abroad were also likely to experience the greatest degree of culture shock during the transition period. (p. 46)

▶ To adapt and become professionally effective in a new culture requires more than technical knowledge and expertise; it requires specific interpersonal and intercultural skills. (see Profile of the Effective Technical Advisor). (p. 54)

▶ Although 75% of Canadians expressed high levels of satisfaction living in another culture, only 20% were found to be highly effective in their jobs. (p. 56)

▶ Adjustment to life abroad is easier for people with previous international experience than persons without previous experience. However, these people were not rated as more effective working in the new culture than those with no previous international experience. (p. 37)

▶ Non-working spouses reported experiencing substantial stress overseas resulting from a sense of isolation and dependence, lost career opportunities, and having sole responsibility for getting the house and family re-established. (p. 68)

▶ Women were more highly rated than men on many of the skills and attitudes associated with international effectiveness. (p. 38)

▶ A motivation to contribute to the development process, positive attitudes and realistic expectations were found to be keys to achieving success in another culture. However, in ensuring a successful outcome, pre-departure confidence in one's ability to adjust to the new environment was found to be more important than having realistic expectations. (p. 61)

KEY FINDINGS OF THIS STUDY – AT A GLANCE

▶ The most successful advisors were those most involved in the local culture who had made an effort to learn the local language. However, they also reported feeling isolated from and negatively judged by their own expatriate community. (p. 57)

▶ To work effectively in another culture was found to be incredibly demanding, requiring special skills and substantial energy and commitment. Unfortunately, many advisors gave up on the challenge and retreated into the expatriate ghetto. (p. 60)

▶ Established theory in social psychology does help to explain and predict personal and professional success in another culture, particularly the "contact hypothesis" theory which states that, under certain conditions, the greater the contact between members of different cultural groups, the greater the positive attitudes towards each other. (p. 31)

▶ A Dynamics of Effective Transfer Model was established, outlining the path to becoming effective in transferring skills and knowledge to local colleagues. (p. 52)

▶ Three new selection tools were developed and tested to determine their usefulness in screening and selecting personnel for international assignments. (p. 43)

▶ Local staff reported having a keen interest in learning from expatriates, expressed disappointment in those expatriates who made no effort to learn their language, and highlighted differences in management style and interpersonal behaviour as obstacles to building effective working relationships. (p. 65)

NOTES

NOTES

NOTES

Ministère des Affaires étrangères et du Commerce international

Department of Foreign Affairs and International Trade

L'EFFICACITÉ INTERCULTURELLE

UNE ÉTUDE DES CONSEILLERS TECHNIQUES CANADIENS À L'ÉTRANGER

DEUXIÈME ÉDITION

**CENTRE D'APPRENTISSAGE INTERCULTUREL
INSTITUT CANADIEN DU SERVICE EXTÉRIEUR**

DANIEL J. KEALEY, Ph. D.

**INSTITUT CANADIEN
DU SERVICE EXTÉRIEUR**

**CANADIAN FOREIGN
SERVICE INSTITUTE**

LES AUTRES PUBLICATIONS DE LA SÉRIE SUR L'EFFICACITÉ INTERCULTURELLE

LES COLLABORATIONS INTERCULTURELLES – POUR UNE COOPÉRATION NORD-SUD PLUS EFFICACE

Daniel J. Kealey et
David R. Protheroe
*Centre d'apprentissage interculturel,
Institut canadien du service extérieur, 1995,
bilingue, 123 p. français*

Cette étude fait le point sur le peu de succès du personnel engagé dans le développement international en examinant les facteurs individuels, organisationnels et contextuels contribuant au succès ou à l'échec. Ce livre traite également de l'évolution du domaine de la coopération technique et des nouvelles formes de collaboration en émergence dans des domaines tels que la diplomatie, le maintien de la paix et les affaires. Cet ouvrage présente les caractéristiques d'un collaborateur modèle et propose des outils pour aider les collaborateurs partant en affectation à mieux comprendre les défis de leur nouvel environnement. *Les collaborations interculturelles* est un ouvrage de référence utile autant au personnel œuvrant sur le terrain qu'à leurs gestionnaires.

PROFIL DE LA PERSONNE EFFICACE SUR LE PLAN INTERCULTUREL

Thomas Vulpe, Daniel Kealey,
David Protheroe et Doug MacDonald
*Centre d'apprentissage interculturel,
Institut canadien du service extérieur,
2000, bilingue, 65 p. français.*

Cette étude innovatrice va au-delà des caractéristiques générales sur l'« adaptabilité », la « tolérance » et la « sensibilité », en fournissant une description détaillée des comportements réels démontrés par une personne efficace sur le plan interculturel. Le *Profil de la personne efficace sur le plan interculturel* est un profil de compétences interculturelles complet, attendu depuis longtemps et une addition précieuse à la bibliothèque des professionnels des ressources humaines, de la formation et de la gestion internationale.

« Ce document témoigne d'une excellente recherche et d'une réflexion poussée... un outil utile pour le recrutement et la sélection, l'évaluation du rendement, la formation et le perfectionnement du personnel à l'étranger. »
Pri Notowidigdo, Directeur associé, AMROP International, Jakarta, Indonésie

TABLE DES MATIÈRES

TABLE DES MATIÈRES

AVANT-PROPOS

Il est fort probable que vous trouviez un exemplaire de la première édition de cette publication dans la bibliothèque de référence des spécialistes des ressources humaines, des responsables de formation, des chercheurs, des professeurs et des résidents de passage dans le monde entier. Cet ouvrage précurseur continue à servir de référence à la recherche dans le domaine de l'efficacité interculturelle.

Au cours des 50 dernières années, les responsables du monde des affaires internationales, du développement et de la diplomatie ont changé leur façon de considérer l'efficacité interculturelle. En effet, alors que par le passé on reconnaissait vaguement son utilité, elle est considérée aujourd'hui comme étant un atout indispensable. Selon les principes de la théorie guidant la gestion moderne, les aspects interculturels des entreprises à l'étranger jouent un rôle indiscutable dans leur réussite. Il est courant de voir dans la presse de grande diffusion et dans les revues spécialisées, des articles examinant la portée de certains facteurs interculturels. En fait, en réponse à cette notion, on a mis en place tout un secteur de consultation et de formation interculturelles. Néanmoins, les renseignements disponibles sont insuffisants pour définir les facteurs interculturels les plus importants nécessaires à la réussite et pour en expliquer les raisons.

La plupart des publications dans ce domaine soulignent les différences entre les cultures ou proposent une démarche de formation interculturelle. La majeure partie de ces études mentionne la nature de l'interaction interculturelle mais ne répond pas à la question : « Quels sont les facteurs matériels poussant les personnes ou les organisations à être mieux ou moins bien adaptées que leurs semblables à une situation interculturelle? ». Le fait de mentionner continuellement le rôle joué par la connaissance de la culture dans le succès à l'étranger peut rendre le sujet populaire. Cependant, cette démarche ne permet pas de déterminer les aspects personnels, les critères de relation interculturelle, les procédures d'organisations et l'environnement contextuel responsables de l'échec à l'étranger. Comment peut-on aider les personnes ou les organisations à réussir dans un contexte interculturel sans posséder ces connaissances?

L'efficacité interculturelle a influencé et ouvert la voie à de nombreuses enquêtes réalisées sur les facteurs contribuant ou nuisant à l'efficacité interculturelle. Une partie de l'étude originale

AVANT-PROPOS

suggère clairement un ensemble d'aspects personnels et de facteurs circonstanciels permettant de prédire le succès des personnes dans un contexte interculturel. La sélection et la formation du personnel international devraient prendre en compte ces connaissances. Votre meilleur(e) directeur(trice) de la production technique, peut sembler être le choix idéal du point de vue de sa compétence technique mais il ou elle peut ne pas se sentir apte à travailler dans un contexte interculturel ou de faire face, à ce moment de sa vie, au bouleversement d'une affectation à l'étranger. Il vaut mieux le savoir à l'avance plutôt qu'après avoir dépensé des dizaines de milliers de dollars au déploiement de cette personne à l'étranger. Le *Intercultural Living and Working Inventory (ILWI)* – inventaire des compétences interculturelles pour vivre et travailler à l'étranger (ICI) est un outil d'évaluation issu des résultats de *L'efficacité interculturelle : Une étude des conseillers techniques canadiens à l'étranger*. L'ICI applique les connaissances obtenues par des recherches sérieuses et aide les organisations à choisir les candidats possédant les plus grandes chances de réussir.

De nouveaux éléments nécessaires au succès des entreprises à l'étranger sont également apparus. Dans leur travail de 1995 intitulé *Les collaborations interculturelles*, M. Kealey et M. Protheroe ont étudié les facteurs d'organisation et de situation permettant de rendre la coopération Nord-Sud plus efficace. Plus récemment, le Centre d'apprentissage interculturel a publié le *Profil de la personne efficace sur le plan interculturel*. Cette étude définit les caractéristiques des compétences interculturelles, notamment les indicateurs de comportement, détaillant les traits de personnalité, les connaissances et les attitudes nécessaires à la réussite interculturelle. À l'aide de recherches sérieuses, de la mise en place de services et d'instruments appropriés, le domaine de l'efficacité interculturelle peut fournir des solutions pour aider les personnes et les organisations dans leurs entreprises à l'étranger.

Le Centre d'apprentissage interculturel continuera à soutenir des recherches exceptionnelles – comme *L'efficacité interculturelle* car il est conscient de la part importante de ces études attribuable à votre réussite à vivre et à travailler dans d'autres cultures.

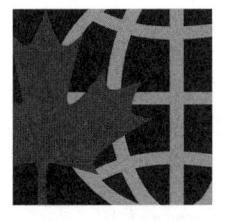

Thomas Vulpe, Directeur
Centre d'apprentissage interculturel
Institut canadien du service extérieur

REMERCIEMENTS

Beaucoup de gens ont contribué à l'élaboration du présent document. Des Canadiens établis à l'étranger ainsi que des superviseurs et des homologues de pays hôtes ont bien voulu collaborer volontairement à la collecte des renseignements, sans oublier des agences d'exécution chargées de la gestion de projets. En outre, les ambassades du Canada dans 16 pays ont aidé à coordonner la collecte des données sur le terrain.

Mes sincères remerciements à l'Agence canadienne de développement international (ACDI) qui a financé cette étude. Valerie Young et Gabriel Dicaire ont été indispensables à la réalisation de cette étude et Don Lahey a aidé à l'édition du texte de la version originale de 1990.

Je tiens à remercier tout particulièrement le Conseil de recherches en sciences humaines du Canada pour la bourse de doctorat qu'il m'a octroyée. À l'Université Queen, John Berry, mon directeur de thèse, Ron Holden, Rod Lindsay, Uichol Kim et Remi Joly m'ont tous apporté leur appui et leur encouragement tout au long de l'étude.

Par ailleurs, je m'en voudrais de ne pas exprimer mes plus sincères remerciements à l'équipe de recherche qui a contribué à rassembler et à organiser les données. Jacinthe Desmarais et Dominique Dallaire ont été les coordinatrices permanentes de la recherche tandis que de nombreux collaborateurs m'ont apporté une aide enthousiaste sur le terrain dont Pamela Pritchard, Suzanne Simond, Michael Miner, Frank Hawes, Hussein Jeewanjee, Marie Sylvie Roy et Ane Jensen.

Enfin, trois collègues et amis, Brent Ruben, Pri Notowidigdo et Donald Dunham, représentent pour moi une source de motivation profonde et fortifient depuis longtemps mon propre intérêt pour la formation et la recherche en matière de communication interculturelle.

Il convient de noter que les conclusions présentées ici ne sont attribuables qu'à l'auteur : elles ne représentent en aucune façon le point de vue officiel du gouvernement du Canada.

Daniel J. Kealey
Mars 1990

INTRODUCTION

Ce rapport est un résumé des conclusions de l'étude intitulée *Explaining and Predicting Cross-Cultural Adjustement and Effectiveness: A Study of Canadian Technical Advisors Overseas*, effectuée par M. Daniel John Kealey, Ph. D. et subventionnée par l'Agence canadienne de développement international (ACDI).[1] L'étude s'est déroulée sur une période de trois ans, entre 1986 et 1988, et portait sur 1 400 personnes participant à des programmes canadiens de développement dans 16 pays. Ces personnes étaient des conseillers canadiens affectés à l'étranger, leurs conjoints, leurs homologues ressortissants des pays bénéficiaires et des conseillers canadiens et leurs conjoints rentrés récemment d'une affectation de deux ans à l'étranger.

L'étude s'est déroulée sur une période de trois ans, et portait sur 1 400 personnes dans 16 pays.

L'édition révisée

Cette étude ayant été publiée une première fois il y a 11 ans, il semblait intéressant d'examiner les tendances récentes circulant parmi les chercheurs et les spécialistes du domaine de la compétence interculturelle et de mettre ces tendances en relation avec les résultats de l'étude. Il est également important d'examiner

---

1 Ce rapport est le résumé des résultats principaux des recherches effectuées par l'auteur dans le cadre de sa thèse de doctorat présentée à l'Université Queen's de Kingston, Ontario, sous la direction de J.W. Berry, professeur de psychologie.

INTRODUCTION

la pertinence actuelle des résultats de la recherche, mais nous le ferons dans la partie « Recommandations » située à la fin de ce document.

Quelles sont les tendances apparues au cours des 10 dernières années et comment sont-elles liées aux résultats de ce travail de recherche? Deux tendances principales doivent être commentées dès maintenant. Tout d'abord, les documents de recherche commencent à enquêter sur une gamme plus large de facteurs jouant un rôle sur les performances des personnes travaillant dans un autre contexte culturel.[2] Par conséquent, afin de mettre en place une collaboration plus efficace entre les cultures, on commence à établir une base de connaissances sur les principales variables d'organisation et d'environnement. Cette recherche est évidemment précieuse mais, malheureusement, elle conduit certains chercheurs et certains spécialistes à diminuer ou à considérer comme étant hors de propos les compétences interpersonnelles et interculturelles des personnes. Selon eux, l'important dans les échanges interculturels est de répondre aux principales variables de contexte, telles que posséder les définitions claires des objectifs, des rôles et

des responsabilités et les structures adéquates de soutien physique et financier. Mais la démarche des organisations internationales négligeant la nécessité d'évaluer et de développer les compétences interculturelles de leurs employés est très dangereuse, car elles risquent d'envoyer du personnel qui ne réussira pas à s'adapter à la culture locale ou à mettre en place des relations de travail efficaces avec leurs collègues locaux ou les deux à la fois. Ce projet de recherche de 1990 a recensé quelques compétences indispensables à l'efficacité dans une autre culture et il a soulevé le point suivant : la compétence interculturelle des personnes est essentielle à la mise en place de relations de collaboration efficaces à l'étranger. Autrement dit, même si les compétences interculturelles d'une personne ne garantissent pas en elles-mêmes la réussite d'une entreprise à l'étranger, il est pratiquement impossible de réussir à travailler dans une autre culture sans les posséder.

Deuxièmement, comme l'auteur l'a fait remarquer en 1996[3], les spécialistes du domaine interculturel doivent faire face à un important défi consistant à élaborer des méthodes basées sur le comportement pour

---

2 Dinges, N.G. et Baldwin K.D. (1996). « Intercultural Competence: A Research Perspective » dans Landis D. et Bhagat R.S. (EDS) *Handbook of Intercultural Training* (2ème édition). Londres : Sage.
3 Kealey D.J. (1996). « The Challenge of International Personnel Selection » dans Landis D. et Bhagat R.S. (eds) *Handbook of Intercultural Training* (2ème édition). Londres : Sage.

évaluer les compétences interculturelles. Pourquoi? Parce que les
méthodes traditionnelles comme les
tests psychologiques et les interviews
ont fait preuve de lacunes dans
l'évaluation des compétences interculturelles des personnes. Tout dernière-
ment, le Centre d'apprentissage interculturel de l'Institut canadien du service extérieur a entrepris un projet de
recherche dont les résultats ont permis
d'obtenir une description comporte-
mentale très détaillée de la personne
efficace sur le plan interculturel.[4]
À présent, cette recherche fournit le
travail de base nécessaire à l'élaboration d'un guide des entrevues axées
sur le comportement, d'instruments
d'évaluation des performances et
d'outils servant à contrôler sa propre
efficacité dans une autre culture.

Le lien entre le projet de
recherche de 1990 et cette nouvelle
recherche axée sur le comportement
est clair et direct. Les caractéristiques
des compétences recensées ici sont
toujours valables mais pas assez concrètes. Comme l'a souligné Mager,[5]
cette étude est trop « floue » et,
par conséquent, ne permet pas de
guider utilement les responsables
de la formation ou de l'évaluation
chargés d'élaborer et de mesurer

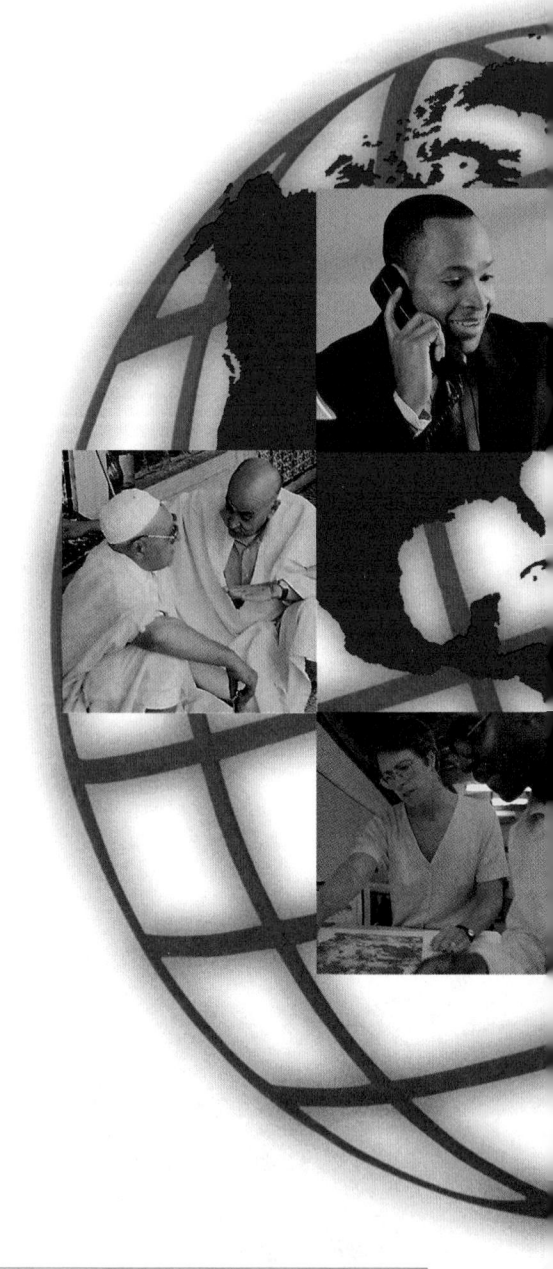

4 Vulpe, T., Kealey, D.J., Protheroe, D.P. et MacDonald, D. (2000) *Profil de la personne efficace sur le plan
   interculturel*. Hull, Québec : Centre d'apprentissage interculturel, Institut canadien du service extérieur.
5 Mager, Robert F. (1984). *Goal Analysis* (2ème édition). Belmont, Californie : Lake Publishing Company. 19-33.

INTRODUCTION

les compétences interculturelles. Toutefois, les nouvelles caractéristiques comportementales précisent très concrètement la façon dont une personne possédant les compétences et les traits de personnalité mentionnées dans ce rapport vivra et travaillera dans une autre culture.

De la même façon, puisque nous connaissons dorénavant les caractéristiques de la compétence interculturelle, nous pouvons commencer à améliorer notre démarche visant à aider les personnes à perfectionner leurs compétences interculturelles.

Enfin, veuillez noter qu'il existe quelques révisions dans cette édition de l'étude. En collaboration avec Thomas Vulpe, on a réorganisé la plupart du texte pour mettre l'accent sur les objectifs de l'étude et sur la façon dont ses résultats les remplissent. De la même façon, on a simplifié les tableaux et les figures.

Pourquoi étudier l'efficacité internationale

Dans le cadre de ses programmes d'aide au développement, le Canada envoie chaque année des centaines de conseillers techniques dans des pays en développement. Ces conseillers travaillent, entre autres, dans les domaines de l'agriculture, de l'éducation, de l'exploitation forestière, des mines, de la gestion, de la comptabilité, de la santé et de l'industrie. Ils sont envoyés pour aider les pays en développement à développer l'économie, l'infrastructure et les ressources sociales qui leur permettront d'accroître leur prospérité. Les efforts du Canada se concentrent sur le développement des ressources humaines, c'est à dire celui des individus, par une meilleure éducation, par l'alphabétisation et par l'acquisition de connaissances et de compétences. Et c'est grâce au transfert de ces deux dernières, ainsi qu'au partage des connaissances techniques, que de tels objectifs peuvent être atteints.

Fondamentalement, une telle approche nécessite un contact direct entre personnes de cultures, de langues et de valeurs souvent différentes. Pour que le transfert de connaissances et de compétences s'accomplisse, ces obstacles doivent être surmontés, et des personnes qui pensent et qui agissent de façons différentes doivent arriver à se comprendre et à collaborer entre

elles. Le transfert de connaissances et de compétences dans un contexte étranger constitue une tâche difficile, et son succès est souvent limité. Par exemple, il arrive fréquemment que des conseillers techniques envoyés dans un pays deviennent indispensables au bon déroulement du projet. Si le conseiller ne réussit pas à transmettre les connaissances et les compétences nécessaires à son homologue, il en résultera une dépendance envers le pays donateur, au lieu d'une autonomie du pays bénéficiaire. Dans une étude réalisée en 1973, Schnapper indiquait :

« L'histoire de l'aide au développement international est parsemée d'épaves de nombreux projets. L'une des principales conclusions que l'on peut tirer de cette histoire est le manque, non pas de compétences techniques, mais de compétences au chapitre de l'adaptation interpersonnelle et interculturelle. Ces échecs en matière d'aide au développement international continuent d'avoir lieu aujourd'hui, et ce, bien que l'une des causes ait déjà été relevée dans d'innombrables études et rapports. »[6]

L'expérience nous a prouvé que la véritable coopération technique avec le pays en développement exige plus qu'un simple partage des connaissances techniques. Il faut aussi être capable d'enseigner et de communiquer, de comprendre les autres et de se faire comprendre. Mais, quelles sont donc ces aptitudes à communiquer sur les plans interpersonnel et interculturel, et comment s'assurer que les personnes envoyées à l'étranger les possèdent? Quelles qualités faut-il posséder pour être en mesure de transmettre connaissances et compétences à une personne d'une autre culture? Dans quelle mesure d'autres facteurs, comme le choc culturel, peuvent-ils affecter l'efficacité d'un conseiller? Quelle est l'influence, sur la réussite à l'étranger, d'éléments personnels comme l'âge, le sexe, la compétence linguistique et la nationalité? De plus, y a-t-il d'autres contraintes environnementales ou culturelles qui déterminent l'efficacité d'un conseiller?

D'autres études ont déjà montré que la réussite des personnes vivant et travaillant à l'étranger dépendait d'un certain nombre de traits de personnalité : sollicitude, intérêt pour la culture locale, souplesse, tolérance, esprit d'initiative, ouverture d'esprit, sociabilité et confiance en soi. Étant donné qu'un certain nombre d'études indépendantes concordent sur ces ca-

---

6 Schnapper, M. (1973). *Experimental Intercultural Training for International Operations.* Thèse de doctorat non publiée. Pittsburgh, PA : Université de Pittsburgh.

INTRODUCTION

ractéristiques, on commence à pouvoir déterminer quel serait le type de conseiller « efficace à l'étranger ». Cependant, s'il est possible d'identifier ces caractéristiques, la difficulté à les mesurer demeure.

Une autre difficulté réside dans le manque de connaissance du processus d'adaptation. Les recherches entreprises jusqu'à maintenant ont presque exclusivement mis l'accent sur l'identification des problèmes d'adaptation et de leurs conséquences, sans tenir compte des théories et du fonctionnement reliés à ces problèmes. Sans une bonne compréhension des mécanismes d'adaptation interculturelle, il est très difficile de prédire qui réussira à l'étranger.

L'ensemble des pays donateurs ont reconnu les difficultés reliées à la mise en œuvre de programmes d'assistance technique à l'étranger. Une étude sur l'efficacité à ce niveau a été effectuée récemment par les pays scandinaves[7], et il en ressort que, même si bon nombre de conseillers atteignent les objectifs de leur mandat, ils connaissent un échec relatif en ce qui concerne le développement institutionnel, la formation et le transfert des compétences. Cette étude souligne que les

---

7 *Evaluation of The Effectiveness of Technical Assistance Personnel*, 1988. Cette étude a été commandée par l'Agence danoise de développement international (DANIDA), l'Agence finlandaise de développement international (FINNIDA), le ministère norvégien de la coopération au développement (MCD/NORAD), et l'Agence suédoise de développement international (SIDA).

conseillers sont souvent envoyés sans nécessité à l'étranger et que les ressources humaines des pays bénéficiaires sont nettement sous-utilisées. Elle met également en lumière certaines lacunes dans la définition et la planification des projets, un manque de compréhension entre pays donateurs et pays bénéficiaires face aux objectifs du projet, ainsi qu'une insuffisance de l'encadrement institutionnel destiné à favoriser le transfert des compétences. Ces divers éléments ont pour effet de réduire l'efficacité de l'aide internationale.

On sait désormais qu'il existe des obstacles au succès et à l'efficacité des projets de développement, tant au niveau national qu'à ceux de la bureaucratie et des institutions. On reconnaît également la nécessité d'une meilleure planification et d'un soutien plus solide des infrastructures. Il ne faut toutefois pas s'imaginer que la maîtrise de ces éléments serait une garantie suffisante de succès à l'étranger. L'aptitude d'un individu à transmettre à ses homologues des connaissances et des compétences lors d'un projet et dans un environnement donnés est tout aussi capitale. Il est extrêmement important d'identifier les traits de personnalité et de comportement qui augmentent l'efficacité à

l'étranger, et aussi de déterminer comment l'identification de ces caractéristiques peut permettre une meilleure sélection des candidats à des affectations à l'étranger. C'est précisément ce que la présente étude s'efforce d'établir.

Recherche antérieure concernant l'efficacité internationale

Pour tenter de mieux comprendre le rôle du conseiller canadien participant à des projets de développement à l'étranger, l'ACDI a effectué deux études avant celle-ci. *The Kenya Study*[8] (Étude à propos du Kenya), de Daniel Kealey et Brent Ruben, examinait de façon approfondie le cas de 22 conseillers qui furent interviewés et évalués avant leur départ en affectation au Kenya puis, une seconde fois, un an après leur arrivée là-bas. Cette étude a révélé qu'il était possible de prédire, avec plus ou moins d'exactitude, les chances d'une adaptation réussie en se basant sur sept traits distinctifs sur le plan des rapports personnels et de la communication, à savoir :

- la sollicitude
- le respect
- le comportement dans le rôle joué

---

8   Ruben, B.D. et Kealey, D.J. (1979). « Behavioural assessment of communication competency and the prediction of cross-cultural adaptation. » *International Journal of Intercultural Relations*, 3, 15-47.

INTRODUCTION

- l'abstention de porter des jugements
- l'ouverture d'esprit
- la tolérance envers l'ambiguïté
- la gestion de l'interaction

Pour arriver à une définition de l'adaptation interculturelle, l'étude a identifié trois dimensions distinctes : le stress d'acculturation (choc culturel), l'adaptation psychologique et l'efficacité dans l'interaction. Cette dernière consistait en une participation interactive à la culture et en un désir – couronné de succès – de transmettre ses connaissances.

En 1979, une deuxième étude fut effectuée par Daniel Kealey, en collaboration avec Frank Hawes : *Les Canadiens au service du développement international*[9]. Cette étude, plus complète, portait sur 250 personnes participant à 25 projets dans six pays. Une centaine de variables relatives à l'adaptation et à l'efficacité furent étudiées, dans le but de définir les éléments de l'efficacité à l'étranger et d'établir le profil d'un conseiller technique efficace. Cette étude a confirmé les conclusions de celle effectuée à propos du Kenya et réaffirmé l'importance des sept traits distinctifs dans les rapports interpersonnels et la communication pour une adaptation

et une réelle efficacité à l'étranger. On a cependant constaté que, même si la plupart des Canadiens affectés à l'étranger s'adaptent bien et sont satisfaits de leur vie outre mer, seul un petit pourcentage d'entre eux parvient à transmettre ses connaissances et ses compétences à ses homologues du pays bénéficiaire. La raison semble en être l'incapacité des conseillers à avoir des échanges valables avec leurs homologues. En outre, les Canadiens interrogés ont avoué avoir eu peu de contacts sur le plan social avec les ressortissants du pays d'accueil. Pourtant, tout comme leurs homologues sur place, ils reconnaissent que la participation à la vie culturelle du pays constituait un élément important de la réussite à l'étranger.

Deux autres résultats de l'étude *Les Canadiens au service du développement international* nous ont permis de mieux comprendre le phénomène de l'efficacité à l'étranger. Le premier avait trait à la combinaison de trois éléments indispensables à cette efficacité :
- la compétence professionnelle
- l'adaptation
- l'interaction culturelle

9 Hawes, F. et Kealey, D. (1980). *Les Canadiens au service du développement international*. Hull, Québec : Agence canadienne de développement international.

_____. (1981). « An Empirical Study of Canadian Technical Assistance : Adaptation and Effectiveness on Overseas Assignment. » *International Journal of Intercultural Relations*. 5, 239-258.

La compétence professionnelle a toujours été le critère principal de sélection pour une affectation à l'étranger. Lorsqu'ils ont à choisir de futurs conseillers, les comités de sélection s'efforcent tout d'abord d'évaluer les compétences personnelles des candidats dans des domaines techniques précis. Mais la compétence d'un individu ne consiste pas simplement en sa formation et son expérience professionnelles. Il lui faut, en plus, être capable d'évaluer les moyens techniques dont il dispose dans le cadre de sa tâche à l'étranger; il doit pouvoir prendre des initiatives et adapter ses connaissances et sa formation aux exigences et aux contingences de la situation locale. Il est également indispensable, pour être efficace à l'étranger, qu'une personne s'investisse dans son travail et éprouve un réel désir de se rendre utile.

Le rendement professionnel d'un individu dépendra de son **adaptation** à l'environnement. Ceci est particulièrement le cas dans un contexte interculturel où, confrontée à bon nombre d'éléments nouveaux, la personne devra compter davantage sur ses propres ressources et sur celles des membres de sa famille qui l'accompagnent. Convenablement adaptés, le conseiller et sa famille sauront mieux faire face aux situations inhabituelles ainsi qu'aux problèmes et aux frustrations qu'engendre un environnement nouveau (logement,

sécurité personnelle, disponibilité des denrées ou des services, problèmes de santé, vie au sein d'une collectivité expatriée). Ce n'est que dans la mesure où il saura, avec sa famille, s'adapter à son existence à l'étranger et en être satisfait que le conseiller pourra se montrer efficace.

L'interaction culturelle concerne l'intérêt qu'éprouvera le conseiller pour la culture et les ressortissants du pays d'accueil, ainsi que son aptitude à établir des échanges à ce niveau. Pour cela, il faut rechercher les contacts, tant professionnels que sociaux, avec les gens du pays, connaître la langue, s'intéresser à la culture, se soucier de la formation et faire preuve d'ouverture d'esprit et de tolérance à l'égard de la culture et des coutumes locales. Les contacts avec

INTRODUCTION

les homologues et leur culture, ainsi qu'un intérêt manifesté envers eux, sont les conditions indispensables à un transfert valable des compétences.

La figure 1 montre dans quelle mesure ces trois facteurs contribuent à l'efficacité à l'étranger. Les trois composantes – compétence, adaptation et interaction – s'entrecoupent, et leur zone commune détermine celle de l'efficacité à l'étranger. Autrement dit, pour être efficace à l'étranger, une personne doit s'adapter – à la fois sur le plan personnel et le plan familial –

à son environnement à l'étranger, avoir la compétence qui lui permettra de mener à bien sa tâche et avoir une interaction avec la culture nouvelle et ceux qui la personnalisent.

Le second résultat important de l'étude *Les Canadiens au service du développement international* consistait en l'établissement d'un profil du conseiller technique efficace, faisant appel aux sept traits distinctifs sur le plan des rapports interpersonnels et de la communication identifiés dans l'étude à propos du Kenya. (voir figure 2).

Figure 1
**La notion d'efficacité à l'étranger
Les Canadiens au service du développement
international, 1980**

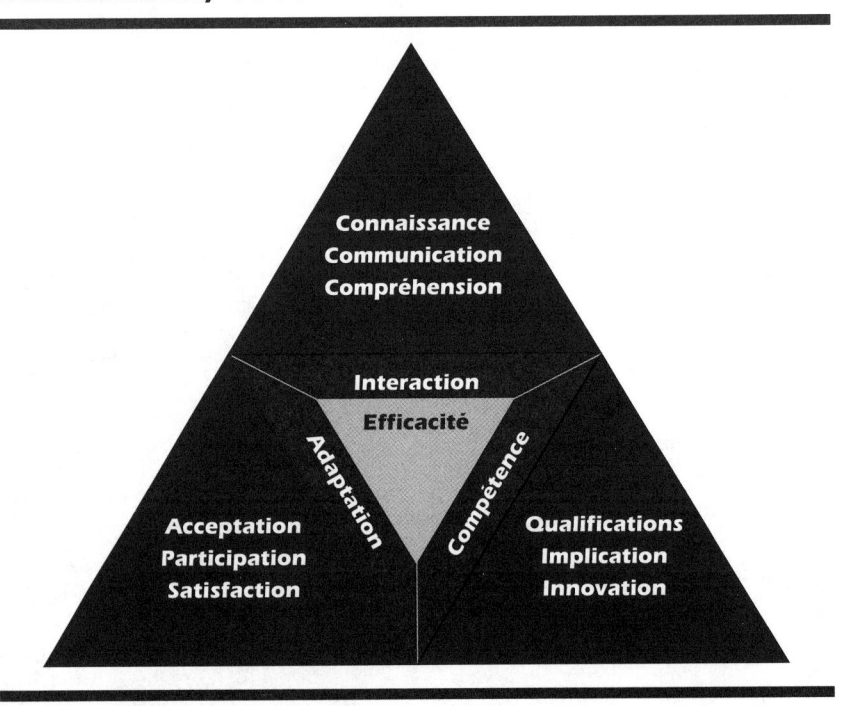

Figure 2
Profil du conseiller technique efficace à l'étranger
Étude Les Canadiens au service du développement international, 1980

1. Compétence professionnelle

La compétence professionnelle a trait aux études, à la formation et à l'expérience ainsi qu'à un intérêt réel envers le travail à l'étranger. La personne doit normalement comprendre la façon dont il lui faut modifier ses connaissances professionnelles et techniques pour les adapter aux conditions et aux contraintes locales.

2. Évaluation du comportement
Aptitudes aux rapports interpersonnels

Souplesse :	réaction souple aux idées, aux opinions et aux points de vue des autres; ouverture d'esprit.
Respect :	attitude envers les autres qui les fait se sentir appréciés, personne attentive et préoccupée des autres; personne qui témoigne de l'attention aux autres.
Écoute :	personne qui sait écouter les autres et perçoit leurs besoins et leurs sentiments
Entregent :	personne capable d'établir et d'entretenir des relations; personne confiante, amicale et coopérative.
Maîtrise :	personne calme qui garde son sang-froid lorsqu'elle est confrontée à des conflits interpersonnels ou à des situations de tension.
Sensibilité :	aux réalités sociales, politiques et culturelles du pays.

Affirmation/Conscience de soi

Initiative :	personne qui est l'une des premières à agir, à faire des suggestions ou à proposer un plan d'action.
Confiance :	personne qui fait preuve de confiance en soi pour ce qui est de son jugement et de ses objectifs personnels.
Franchise :	personne franche et ouverte dans ses rapports avec les autres.

3. Perception de soi
Autoévaluation

- Ouverture d'esprit /absence d'ethnocentrisme
- Franchise
- Bonnes relations familiales
- Caractère extraverti
- Rapports harmonieux avec autrui
- Confiance en soi/esprit d'initiative
- Ouverture d'esprit/souplesse

4. Attentes
Attentes réalistes avant le départ

Avant le départ, l'individu devrait avoir une idée réaliste des contraintes et des barrières qui pourront nuire à l'efficacité de son rendement, mais il devrait néanmoins être assez optimiste quant à ses chances de succès.

- A quelques inquiétudes au sujet de la vie à l'étranger
- S'attend à une expérience enrichissante

INTRODUCTION

Pour résumer, ces deux études antérieures ont ajouté à notre compréhension du processus d'adaptation et d'efficacité à l'étranger.

- La personnalité, le comportement (ou les deux réunis) influent considérablement sur la mise en œuvre de l'aide au développement et peuvent déterminer le succès ou l'échec d'un projet;

- Les compétences techniques ne garantissent pas à elles seules la réussite d'un projet; il existe des critères non techniques clairs et définissables pour la réussite à l'étranger;

- La définition de l'efficacité à l'étranger peut à présent faire l'objet d'un consensus;

- Malgré l'importance du « facteur humain », les qualifications techniques et l'expérience demeurent un facteur important dans la sélection des personnes affectées à l'étranger.

- Il est nécessaire de mettre au point des méthodes et instruments pour améliorer le processus de sélection, surtout quant à l'évaluation de la compétence personnelle du candidat.

L'efficacité interculturelle

Une étude des conseillers techniques canadiens à l'étranger

Objectifs, définition et méthodologie

Objectifs de recherche

On a entrepris cette étude afin d'aller plus loin dans les résultats obtenus dans les deux études précédentes (l'étude à propos du Kenya et *Les Canadiens au service du développement international*) et afin d'essayer de répondre à certaines des questions qu'elles ont soulevées. Plus précisément, nous nous sommes fixés cinq objectifs principaux :

1. de vérifier si certaines théories de la psychologie sociale et de la psychologie culturelle peuvent servir à expliquer avec précision les résultats obtenus à l'étranger;
2. de comprendre l'influence des facteurs de contexte et des facteurs circonstanciels sur l'efficacité à l'étranger;
3. d'identifier et élaborer des instruments de sélection permettant de vérifier que les conseillers éventuels possèdent les compétences nécessaires pour être efficaces à l'étranger;
4. de clarifier les rapports entre les indices de stress d'acculturation (choc culturel) et ceux d'efficacité à l'étranger;
5. de mettre à l'essai et d'affiner le modèle de transfert efficace proposé dans l'étude *Les Canadiens au service du développement international*.

Une définition

Une affectation à l'étranger sera couronnée de succès si le conseiller parvient à fournir des renseignements, des compétences et des connaissances techniques à ses homologues du pays bénéficiaire et, ce faisant, à accroître leurs aptitudes à développer et à gérer leurs ressources nationales. Dans cette optique, l'efficacité du conseiller sera donc évaluée d'après sa capacité de transmettre des compétences, des connaissances et une expérience professionnelle à ses homologues du pays d'accueil.

On peut définir l'efficacité à l'étranger comme étant *la capacité de vivre et de travailler efficacement dans le contexte interculturel d'une affectation à l'étranger*. Cette définition laisse entendre qu'il existe un rapport entre, d'une part, la façon dont s'adapte un individu à l'étranger et la satisfaction qu'il en retire et, d'autre part, son rendement dans un contexte culturel différent. La distinction est importante, car elle tient compte de l'influence que des facteurs autres que la compétence professionnelle de l'individu en question peuvent avoir sur son efficacité.

OBJECTIFS, DÉFINITION ET MÉTHODOLOGIE

Méthodologie

L'étude portait sur 277 conseillers techniques canadiens, 200 conjoints les accompagnant et 140 homologues des pays d'accueil mettant à contribution 75 projets dans 16 pays en voie de développement (voir figure 3). Les Canadiens compris dans l'échantillonnage représentaient bon nombre de professions (voir figure 4). Tous les conseillers de l'échantillonnage étaient affectés à l'étranger depuis au moins un an. Au moment de l'étude, ces 277 conseillers représentaient environ 25 % des Canadiens travaillant à des projets d'assistance technique parrainés par l'ACDI. Ils participaient à cette étude de leur plein gré.

Dans cet échantillonnage, trois groupes étaient étudiés. Un premier groupe comprenait 130 conseillers qui eurent à remplir un questionnaire avant de quitter le Canada pour leur mission. Un suivi fut effectué sur le terrain auprès de 93 de ces conseillers (70 % de l'échantillonnage pré-départ), trois à douze mois après leur arrivée dans leur pays d'affectation. Sur le terrain, ils eurent à remplir un questionnaire (faisant suite au précédent), et on les interviewa sur leur lieu de travail, où étaient également interviewés leurs chefs de service et leurs homologues locaux.

Figure 3
Les pays inclus dans l'étude

OBJECTIFS, DÉFINITION ET MÉTHODOLOGIE

On demanda aussi aux Canadiens de noter leurs collègues sur 15 qualités interpersonnelles. On a ainsi obtenu des notes que les Canadiens s'étaient attribuées eux-mêmes et des notes que leurs collègues leur avaient attribuées.

Au cours des visites sur le terrain, un deuxième groupe, comprenant 184 conseillers, a été rajouté à l'étude. Ce groupe a rempli le questionnaire pré-départ et, par la même occasion, répondu aux autres questions posées sur place. On a utilisé la même méthode pour l'étude sur le terrain que celle décrite ci-dessus. Un groupe de 140 homologues des pays d'accueil a également été interviewé, ce qui a permis d'obtenir les notes que ceux-ci avaient attribuées à leurs collègues canadiens.

Le troisième groupe comprenait 200 conjoints accompagnant les conseillers. 146 d'entre eux furent interviewés sur le terrain.

Comme nous l'avons spécifié plus haut, les recherches s'appuyaient à la fois sur les questionnaires pré-départ et sur les interviews effectuées sur le terrain. Les outils pré-départ ont servi à établir les caractéristiques prédictives, alors que les outils sur le terrain servaient avant tout à mesurer les résultats qu'ont donnés ces séjours (voir figure 5). Toutes les données ont été soumises à une analyse de fond et à une analyse statistique variée, dans le but de déceler les liens éventuels entre les variables prédictives et les divers résultats.

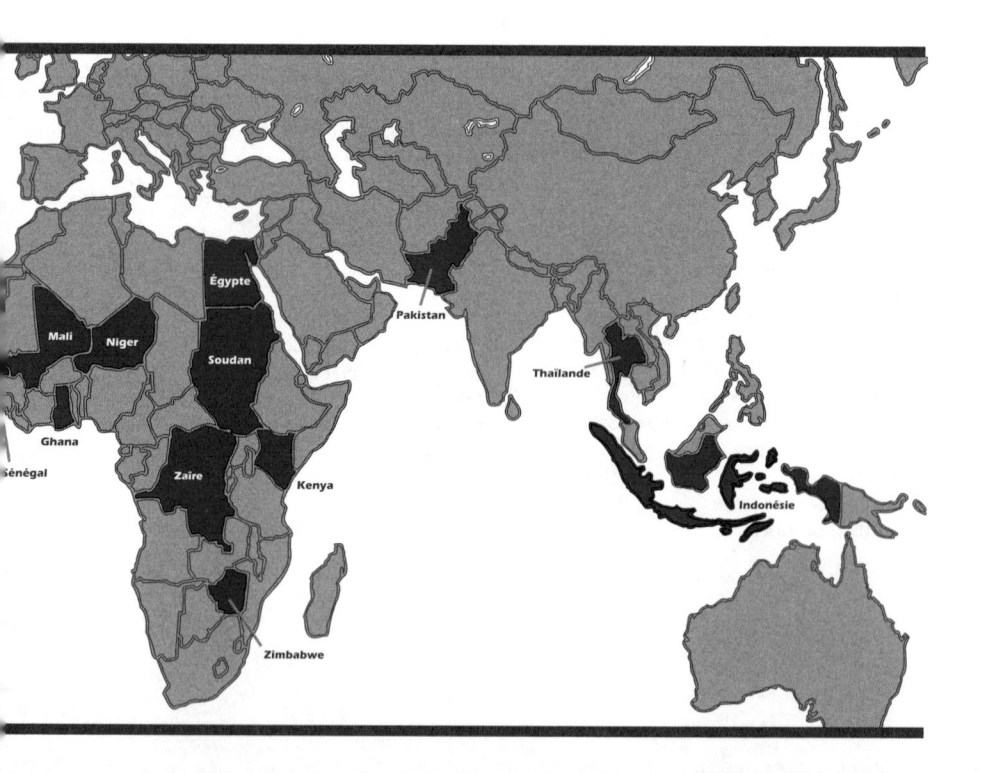

Figure 4
Profil de l'échantillonnage des conseillers canadiens – N=277

Âge

20-30 ans	6 %
30-40 ans	31 %
40-50 ans	40 %
50-60 ans	18 %
60 ans et plus	5 %

Sexe

Hommes	87 %
Femmes	13 %

Langue maternelle

Anglais	47 %
Français	44 %
Autres	9 %

État civil

Célibataire, séparé, non accompagné	20 %
Célibataire, séparé, accompagné	6 %
Marié, accompagné	67 %
Marié , non accompagné	7 %

Enfants

Accompagné d'enfants	38 %
Non accompagné d'enfants	62 %

Instruction

A terminé l'école primaire	1 %
A terminé l'école secondaire	9 %
A terminé l'école technique	15 %
A obtenu un diplôme universitaire (baccalauréat)	29 %
A terminé plus d'un baccalauréat	9 %
A terminé une maîtrise	30 %
A terminé un doctorat	7 %

Affectations antérieures à l'étranger

Aucune	35 %
Une ou plus	65 %

Employeur

Contrat direct de l'ACDI	9 %
Agence canadienne d'exécution	80 %
Autres	11 %

Travaillez-vous avec un homologue local?

Oui	77 %
Non	23 %

Principal rôle professionnel

Gestionnaire ou chef d'équipe	33 %
Membre d'équipe	52 %
Travail individuel	15 %

Milieu de travail

Milieu urbain	56 %
Milieux urbain et rural	16 %
Milieu rural	28 %

Votre mandat est-il clair et bien compris?

Oui	80 %
Non	20 %

Région d'affectation

Asie	21 %
Antilles	13 %
Afrique	66 %

Figure 5
Variables et outils

Données avant le départ

Caractéristiques examinées (Variables prédictives)	Outil de mesure
Dépendance/indépendance du champ	Test collectif des figures cachées
Conformisme Participation sociale Aptitude sociale Comportement conforme aux attentes du groupe auquel on appartient	Répertoire de la personnalité de Jackson
Attentes pré-départ Attitude vis-à-vis du développement Importance des contacts souhaités avec les ressortissants Degré d'intimité avec la famille et le conjoint	Échelle des attentes et des attitudes pré-départ vis-à-vis du développement
Qualités interpersonnelles	Répertoire des qualités interpersonnelles
Valeur professionnelle et priorités de carrière	Échelle des valeurs
Facteurs démographiques tels que l'âge, l'instruction, l'expérience antérieure à l'étranger, etc.	Variables de contexte

Données sur le terrain

Résultats	Outil de mesure
Satisfaction personnelle et professionnelle	Échelle du bonheur de la Memorial University Échelle d'auto-ancrage de Cantril
Stress d'acculturation ou choc culturel	Échelle de Cawte
Difficulté d'adaptation	Entrevues sur place et échelle d'auto-évaluation conçue pour notre étude
Compréhension interculturelle	Indice de la communication dans le contexte du développement
Contacts avec la culture du pays d'accueil	Échelle des contacts de Tucker et outils conçus pour notre étude
Adaptation globale et efficacité à l'étranger	Échelles tirées de l'étude « Les Canadiens au service du développement international » utilisant les notes attribuées par les intéressés eux-mêmes et par leurs collègues
Conditions de vie	Six points conçus pour notre étude
Contraintes professionnelles	Un indice conçu pour notre étude

À la recherche d'une théorie

Objectif 1

Vérifier si certaines théories de la psychologie sociale et de la psychologie culturelle peuvent servir à expliquer avec précision les résultats obtenus à l'étranger.

Discussion

L'élaboration d'outils d'évaluation efficaces doit reposer sur une base théorique permettant de comprendre la dynamique de l'adaptation et de l'efficacité à l'étranger. Jusqu'à présent, les recherches étaient orientées vers la pratique, s'attardant à des problèmes précis et à leur solution. On a étudié bon nombre de facteurs différents pour connaître leur influence sur l'adaptation et l'efficacité à l'étranger, mais on a rarement tenté d'identifier des théories qui expliqueraient l'adaptation et l'efficacité et nous permettraient de prévoir et de maîtriser les facteurs en question.

Pour traiter cet écueil, nous avons examiné cinq champs de recherche et de théorie et vérifié s'ils pouvaient s'appliquer à l'adaptation et à l'efficacité à l'étranger : de la perception de la personne, des relations ethniques, du style cognitif, du comportement d'autorégulation et des valeurs culturelles et professionnelles.

La perception de la personne

La perception de la personne est l'étude de la façon dont nous percevons les autres dans notre milieu. S'il est une chose démontrée par ce domaine de recherche, c'est la difficulté de percevoir et de comprendre sans erreurs les autres membres de notre société et de communiquer efficacement avec eux. La perception sélective, les convictions stéréotypées, les attitudes ethnocentriques, les préjugés personnels, les jugements hâtifs et les erreurs d'interprétation, tous ces facteurs contribuent à fausser notre perception des autres. Étant donné ces entraves à une saine perception entre deux personnes de même culture, il est facile d'imaginer tout ce qui, en plus, peut nuire à la compréhension mutuelle de personnes de cultures différentes.

Normalement, les personnes capables de mieux percevoir et comprendre autrui seront plus aptes à faire preuve d'ouverture d'esprit et de largeur de vues, à écouter et à observer, à respecter les autres et à susciter leur confiance. Étant donné que ces qualités sont conformes à notre description d'un conseiller technique efficace, ce genre de personne devrait également pouvoir percevoir et comprendre plus facilement, plus rapidement et avec plus de justesse ses homologues locaux. On peut affirmer que cette aptitude est essentielle à l'établissement de relations de travail efficaces et à la création d'une ambiance propice au transfert des connaissances et des compétences. Inversement, ce transfert peut s'avérer impossible si le conseiller et son homologue local ont l'un de l'autre une perception erronée. Ils peuvent être ainsi portés à mal comprendre les motivations et les attitudes de l'autre, ce qui provoque une méfiance et un manque de respect mutuels s'exprimant sous forme de résistance au changement.

Par cette étude, nous nous sommes, entre autres, attachés à déterminer si les hypothèses formulées ci-dessus étaient valables, c'est-à-dire si le type de personnalité identifiée dans le profil du conseiller technique assurait vraiment une perception plus juste des autres et une meilleure compréhension dans un contexte culturel différent. Était-il possible de mesurer le degré de compréhension existant entre un conseiller canadien et son homologue local? *L'indice de communication dans le domaine du développement* a justement été élaboré pour permettre aux chercheurs de comparer la façon dont un conseiller envisagera la réaction de son homologue à une situation que ce dernier aura lui-même évaluée, et vice-versa. Cet indice permettra non seulement d'identifier les domaines où se créent des malentendus, mais aussi d'utiliser ces renseignements pour améliorer dans leur ensemble les contacts entre les personnes qui œuvrent à un projet de développement.

Relations ethniques

Afin de mieux comprendre les conditions préalables à une communication efficace entre personnes de cultures différentes, il est nécessaire de voir comment les motivations, les attitudes et les attentes de la population locale influent sur les résultats de la relation de travail, tout autant qu'il importe de se pencher sur les motivations, les attitudes et les attentes de l'agent de développement. On sait, par exemple, que les comportements ethnocentriques, les stéréotypes négatifs et les préjugés nuisent à la compréhension interculturelle. Par extension, on peut se demander si la recherche sur les relations ethniques peut améliorer notre compréhension de l'interaction interculturelle.

DISCUSSION   **À LA RECHERCHE D'UNE THÉORIE**

L'hypothèse au sujet des contacts,[10] relevée dans les études sur les relations ethniques, offre un bon terrain de réflexion. En clair, elle laisse entendre que dans certaines circonstances, une interaction sociale accrue entre les membres de différents groupes culturels devrait engendrer des attitudes mutuelles plus amicales. D'après les conclusions de l'étude *Les Canadiens au service du développement international*, les conseillers les mieux notés pour la transmission des compétences attribuaient aussi plus d'importance à l'interaction sociale avec les ressortissants locaux et se liaient davantage avec eux, ce qui semble indiquer une relation entre les contacts accrus et l'efficacité à l'étranger. Il reste encore à déterminer la raison d'être de ce lien.

Style cognitif : dépendance et indépendance du champ

La théorie de la dépendance et de l'indépendance du champ[11] a mis en lumière deux façons distinctes qu'ont les individus d'intégrer diverses sources d'information. Ceux qui sont dépendants du champ ont tendance à compter sur les impressions extérieures pour porter des jugements de perception; autrement dit, les réactions des autres influencent leur propre réponse à une situation donnée. Ceux qui sont indépendants du champ s'en remettent plus à leur propre perception, et leurs comportements sont peu influencés par les réactions et les opinions de leur entourage. Pour ce qui est de notre propos, soit l'adaptation et l'efficacité interculturelles, les recherches montrent que, par rapport aux personnes indépendantes du champ, celles qui en dépendent semblent plus portées aux relations interpersonnelles, dont elles tirent un meilleur parti. En fait, la description de l'individu dépendant du champ concorde sur bien des points avec notre profil du bon conseiller technique.

Un certain nombre d'autres conclusions permettent de penser qu'il existe un rapport entre la théorie de dépendance et d'indépendance du champ et la présente étude. La première conclusion est que les conflits sont plus facilement résolus par la présence d'individus dépendants du champ, sans doute parce qu'ils désirent coopérer et sont disposés à faire des compromis. Ces derniers montrent également plus d'aptitudes sociales que les individus indépendants, pourvu que

---

10 Amir, Y. (1969). « Contact Hypothesis in Ethnic Relations. » *Psychological Bulletin*, 71, 319-341.
⎯⎯⎯⎯⎯⎯. (1976). « The Role in Intergroup Contact in Change of Prejudice and Relations. » dans P.A. Katz (ED.) *Toward the Elimination of Racism*. Elmsford, NY : Pergamon Press.
11 Witkin, H.A. et Goodenough, D.R. (1981). *Cognitive Styles: Essence and Origins*. New York : International Universities Press Inc.

ces aptitudes soient mesurées sur le plan du comportement plutôt que sur le plan cognitif (c.-à-d. d'après leurs actes plutôt que d'après leur propos).

Aussi a-t-on eu recours au test collectif des figures cachées pour la dépendance et l'indépendance du champ afin de prévoir des modèles d'adaptation et d'efficacité à l'étranger. On a aussi vérifié son utilité éventuelle comme instrument de sélection du personnel pour l'étranger.

Comportement d'autorégulation

Le comportement d'autorégulation[12] reflète la mesure dans laquelle un individu s'efforce d'être pleinement conscient des images de lui-même et des impressions qu'il projette au cours des échanges sociaux. Les individus à forte autorégulation sont sensibles au comportement et à l'apparence de leur entourage et s'efforcent d'établir leur propre comportement en fonction de ces indices. Par opposition, chez les individus à faible autorégulation, le comporte-ment social est davantage dicté par les pulsions intérieures; ils expriment ce qu'ils ressentent, plutôt que ce qui s'imposerait dans une situation donnée.

Il existe des parallèles évidents entre ces deux stratégies d'autorégulation et la dépendance ou l'indépendance du champ. En fait, nous pourrions consi-dérer le comportement d'autorégulation comme l'expression dynamique de la dépendance ou de l'indépendance du champ, la première entraînant une forte autorégulation et la seconde, une autorégulation relâchée.

On estime que la tendance à imposer leurs propres concepts à leur entourage des individus indépendants du champ et le fait que ceux à faible autorégulation sont généralement menés par leur subjectivité permettraient de prédire une inefficacité à l'étranger. Si l'on souhaite établir de bonnes relations professionnelles avec des personnes d'une autre culture, il importe de savoir maîtriser ses frustrations, son hostilité et son ressentiment, tout en s'efforçant de comprendre les valeurs, les coutumes et les attitudes des gens du pays, sans leur imposer son propre système de valeurs. Compte tenu de ces critères très rigoureux, il semblerait que les meilleures chances de succès s'offrent aux indi-vidus dépendants du champ et à ceux qui font preuve d'une forte autorégulation.

---

12 Snyder, M. (1974). « Self-monitoring of Expressive Behaviour. » *Journal of Personality and Social Psychology*, 30, 526-537.

_____. (1979). « Self-monitoring processes. » dans L. Berkowitz (Ed.) *Advances in Experimental Social Psychology*. (12), New York : Academic Press.

DISCUSSION   À LA RECHERCHE D'UNE THÉORIE

Valeurs culturelles et professionnelles

La recherche sur les valeurs culturelles a montré que les cultures nationales variaient dans quatre dimensions principales – la distance par rapport au pouvoir, l'écartement de l'incertitude, l'individualisme et la masculinité – et que ces différences « ont un effet considérable sur la validité du transfert d'un pays à l'autre des théories et des méthodes de travail ».[13]

Les deux dernières dimensions, l'individualisme et la masculinité, sont celles qui concernent le plus la situation à laquelle sont confrontés les conseillers techniques canadiens à l'étranger. La dimension individualisme-collectivisme a trait au degré d'intimité des relations entre les membres d'une nation. Dans les pays individualistes, il n'y a pas de liens étroits entre les habitants et la responsabilité est individuelle. Au contraire, les nations collectivistes prônent les liens étroits et la responsabilité collective. La dimension masculinité-féminité oppose les intérêts de l'affirmation de soi à la tendance au dévouement à la culture du pays. Les sociétés à orientation « masculine » insistent sur le gain et le progrès tandis que les sociétés dites « féminines » accordent plus de valeur aux relations de travail et à l'ambiance du travail.

Évaluer les dimensions culturelles et les valeurs professionnelles serait peut-être utile pour tenter d'expliquer et de prédire l'efficacité des transferts de connaissances et de compétences à des homologues dans d'autres pays. Les pays en développement ont généralement tendance à valoriser davantage le collectivisme et à insister moins que ne le fait le Canada sur les valeurs masculines traditionnelles. Il semblerait donc plausible que des conseillers canadiens qui s'estiment davantage collectivistes et moins « masculins » dans leurs valeurs et leurs tendances – surtout par rapport au travail – sachent mieux s'adapter et transmettre leurs connaissances et compétences.

---

13 Hofstede, G. (1980). *Culture's Consequences*. Londres : Sage.
   Hofstede, G. et Spangenberg, J. (1987). « Measuring Individualism and Collectivism at Occupational and Organizational Levels. » dans C. Kagitcibasi (ed.) *Growth and Progression in Cross-Cultural Psychology*. Lisse, Pays-Bas, Swets & Zeitlinger.

Résultats

Théorie de la perception de la personne

L'étude de la perception de la personne cherche à établir comment nous percevons autrui dans notre environnement et, pour ce qui nous intéresse, quels sont les obstacles qui nous empêchent d'avoir une perception exacte des autres. On peut supposer que, dans un contexte interculturel, il est plus difficile d'avoir une perception exacte d'autrui que lors d'un échange entre deux personnes de la même culture. Notre étude visait à répondre aux questions suivantes : Quel genre de personne perçoit le mieux son homologue local? La personne qui fait preuve de qualités interpersonnelles et éprouve un intérêt pour autrui est-elle mieux en mesure de comprendre la population locale? Une meilleure perception interpersonnelle permettrait-elle de prédire l'efficacité dans le transfert des connaissances et des compétences?

Il ressort de notre étude que des qualités interpersonnelles marquées, des attentes réalistes avant le départ et un faible désir d'avancement sont autant de caractéristiques associées à une perception exacte d'autrui. Il semblerait que cette combinaison de qualités et de comportements sociaux permet aux gens de se « libérer d'eux-mêmes » et de posséder l'énergie et les capacités voulues pour comprendre leurs homologues locaux. Nous avons également la preuve qu'il existe une corrélation entre la compréhension manifestée par une personne et l'efficacité avec laquelle elle transmet ses connaissances et ses compétences.

Étude et théorie des relations ethniques

Selon l'hypothèse relative aux contacts, une plus grande interaction sociale entre les membres de groupes culturels différents devrait amener ceux-ci à adopter une attitude plus favorable les uns envers les autres, à condition que leurs contacts :

- soient volontaires,
- aient lieu entre groupes ou individus d'une même classe sociale,
- soient occasionnés par la poursuite d'un but commun.

Cette étude confirme le rapport entre les contacts et l'efficacité (objet d'un examen plus approfondi plus loin dans la dynamique du modèle de transfert) et vient étayer l'hypothèse relative aux contacts, même en l'absence d'une des principales conditions : les Canadiens en poste à l'étranger jouissent d'un statut économique et professionnel de loin supérieur à celui de leurs homologues du pays d'accueil. Les observations faites sur le terrain indiquent que les Canadiens qui font preuve d'un dévouement et d'une énergie sincères pour améliorer les compétences de leurs homologues sont hautement appréciés par ces derniers. Une telle attitude favorise les bonnes relations entre le conseiller et son homologue, malgré leur différence de statut social.

Néanmoins, il reste à résoudre un problème de taille, en ce sens que la plupart des personnes expatriées à l'étranger demeurent isolées de la culture locale. La plupart des Canadiens trouvent un soutien moral en la compagnie de leurs compatriotes. Il leur est ainsi moins difficile de s'adapter et ils sont plus satisfaits par leur existence à l'étranger. Mais cela contribue également à créer un ghetto d'expatriés et dispense du besoin d'établir des contacts avec la culture locale. Il est certain que cet isolement empêche de nouer avec la population locale des relations de travail efficaces basées sur la coopération; aussi faut-il trouver les moyens d'amener les conseillers canadiens à s'intéresser davantage à la culture locale pour mener à bien leur mission.

Style cognitif : dépendance/indépendance du champ

L'hypothèse voulait que la dépendance du champ (tendance à se fier à des indices extérieurs pour porter un jugement perceptif) fût associée à la réussite à l'étranger, comme en témoignaient les nombreux contacts avec la culture locale, le degré élevé de satisfaction, un stress marqué, une meilleure compréhension de la population locale ainsi qu'un meilleur transfert des connaissances et des compétences.

Notre étude a confirmé cette hypothèse jusqu'à un certain point. Les personnes dépendantes du champ se sont dites plus satisfaites de leur existence, ont passé davantage de temps en la compagnie des ressortissants locaux et se sont accordé de meilleures notes sur les plans de l'altruisme, de l'initiative, de l'affirmation de soi et de l'efficacité avec laquelle elles ont transmis leurs connaissances. Ces conclusions sembleraient confirmer qu'une dépendance du champ s'accompagne de qualités interpersonnelles plus grandes et d'un intérêt plus marqué.

Comportement d'autorégulation

Un comportement d'autorégulation permet d'exercer un contrôle sur les impressions que les autres ont de nous au cours d'interactions sociales. Les individus capables d'une forte autorégulation sont habiles en société et savent adapter leur comportement aux exigences de la situation. Selon l'hypothèse de départ, ces personnes présenteraient les mêmes caractéristiques que celles qu'on associe à la dépendance du champ, et elles se montreraient donc également plus efficaces à l'étranger. Nous n'avons toutefois trouvé aucune correspondance entre le comportement autorégulateur et la dépendance du champ. De plus, ce n'est que très rarement que l'on a pu noter une corrélation entre un comportement d'autorégulation et l'efficacité à l'étranger.

On a tellement pensé que le style cognitif et le comportement autorégulateur avaient beaucoup à voir avec l'efficacité à l'étranger que les résultats de cette étude sont, en ce sens, très décevants. On pourrait peut-être expliquer cela par le fait que l'échelle d'autorégulation n'est pas unidimensionnelle. Une autre explication serait que le sujet peut faire preuve d'un certain « machiavélisme », c'est-à-dire donner une « bonne image » de lui-même mais se comporter tout à fait différemment.

Valeurs culturelles et professionnelles

Selon l'hypothèse de départ, les individus se présentant comme collectivistes et affichant des valeurs et des tendances moins masculines étaient mieux en mesure de transmettre leurs connaissances et leurs compétences dans les pays en développement. Malheureusement, à cause de problèmes d'analyse des données, il n'a pas été possible de vérifier si les quatre dimensions de Hofstede permettaient de prédire l'efficacité à l'étranger. Toutefois, nous avons examiné quatre nouveaux facteurs dans ce but : le besoin de sécurité, le désir d'avancement, le goût de l'aventure et l'altruisme. On se rappellera que les deux derniers se rapportent à l'échelle de l'individualisme et du collectivisme d'Hofstede, tandis que la mobilité et la sécurité sont associées à l'échelle de la masculinité et de la féminité. Notre étude a révélé que les individus altruistes éprouvaient beaucoup de satisfaction, avaient de nombreux contacts avec la culture locale et s'estimaient extrêmement efficaces. Par contre, ceux qui avaient un goût prononcé pour l'aventure (ou un haut degré d'individualisme) éprouvaient, eux aussi, beaucoup de satisfaction, mais avaient peu de contacts avec la culture locale. Ceux qui se souciaient peu de leur avancement ou de leur sécurité avaient des contacts plus importants et étaient jugés plus efficaces, tant par leurs collègues que par les enquêteurs. Ces quatre facteurs d'ordre culturel semblent s'avérer de bons outils pour les prédictions d'efficacité; toutefois, le degré du désir d'avancement et du besoin de sécurité aura constitué un indice d'efficacité très utile pour les collègues et les enquêteurs.

Variables de contexte et variables circonstancielles

Objectif 2

Comprendre l'influence des facteurs de contexte et des facteurs circonstanciels sur l'efficacité à l'étranger.

Discussion

Les antécédents ou les caractéristiques démographiques comme la nationalité, l'état civil, les aptitudes linguistiques, l'âge, l'instruction et l'expérience antérieure d'autres cultures permettent, à divers degrés, de prédire l'adaptation d'un individu et son efficacité à l'étranger. Il est possible aussi d'établir l'influence des variables circonstancielles sur l'adaptation et l'efficacité. En fait, certains chercheurs, tout en n'accordant aucun rôle à la personnalité, prétendent que les variables circonstancielles déterminent le succès à l'étranger. C'est là un point de vue que ne partage pas l'auteur de la présente étude. Dans ce travail de recherche, on s'est efforcé d'examiner un certain nombre de contextes et de variables circonstancielles.

Variables de contexte

- l'expérience antérieure dans un pays en développement
- le sexe
- l'âge
- l'instruction
- l'état civil
- le type du projet de développement (ex. : ressources humaines par opposition aux ressources techniques)
- le rôle professionnel (ex. : gestionnaire ou chef d'équipe par opposition à membre d'une équipe).

Variables circonstancielles

Les conditions de vie suivantes :
- le logement,
- la pollution,
- le besoin de sécurité,
- les commodités sur place,
- les loisirs offerts,
- les risques pour la santé et les installations médicales disponibles.

Les contraintes professionnelles comme :
- l'absence d'objectifs réalistes et clairement définis,
- des descriptions de poste mal définies,
- le manque d'installations et d'équipements,
- le manque de personnel de soutien,
- le recours insuffisant ou excessif au conseiller,
- les ingérences politiques.

Résultats

Variables de contexte

Rôle d'un séjour antérieur à l'étranger

Les Canadiens qui avaient déjà été affectés à l'étranger parvenaient généralement à s'adapter plus vite et plus facilement que ceux dont c'était le premier séjour. Leur stress d'acculturation était moins violent que chez ceux qui n'avaient jamais été à l'étranger auparavant, et leur niveau de satisfaction plus élevé.

Nous avons cependant constaté que la facilité d'adaptation à l'étranger n'était pas une garantie d'efficacité à transmettre connaissances et compétences, même si ceux qui ont déjà travaillé à l'étranger se sentent sûrs d'eux-mêmes avant leur départ et s'estiment très efficaces une fois rendus outre-mer. Jugés par leurs collègues, leurs homologues et les chercheurs, ces conseillers ne se sont pas révélés plus efficaces que ceux qui n'avaient jamais travaillé à l'étranger auparavant. En fait, une trop grande expérience aurait tendance à engendrer un sentiment d'autosatisfaction qui constitue un obstacle aux relations bénéfiques avec les ressortissants locaux.

Ce résultat est substantiel compte tenu des conséquences qu'il peut avoir lors de la sélection des coopérants canadiens pour l'étranger. Jusqu'à présent, une expérience antérieure dans ce domaine avait constitué un important critère de sélection. Trop souvent, des gens compétents ne sont pas retenus parce qu'ils n'ont jamais travaillé dans un pays en développement,

> **Si le fait d'avoir déjà travaillé à l'étranger présente quelques avantages, son importance dans le processus de sélection devrait être quelque peu atténuée.**

fait clairement prouvé par cette étude puisque 35 % seulement des Canadiens en poste à l'étranger y effectuaient leur premier séjour. (En fait, ceci représente un complet changement par rapport aux résultats de l'étude *Les Canadiens au service du développement international*, effectuée en 1980. Les chiffres, à cette époque-là, étaient inversés : 65 % des conseillers interrogés étaient en poste

à l'étranger pour la première fois, alors que le pourcentage de ceux qui avaient déjà travaillé au moins une fois dans un pays en développement était de 35 %). Si le fait d'avoir déjà travaillé à l'étranger présente quelques avantages, son importance dans le processus de sélection devrait être quelque peu atténuée. Ceci permettrait d'accroître la réserve de talents dans laquelle pourraient puiser les sélectionneurs afin de choisir des conseillers pour l'étranger.

Conseillers hommes et conseillers femmes

L'étude a prouvé que les femmes sont mieux notées que les hommes pour bien des qualités et attitudes ayant trait à l'efficacité à l'étranger. Voici quelques-unes de ces différences :

* les femmes se préoccupent moins du statut et de la promotion, alors que les hommes accordent plus d'importance à l'avancement professionnel;
* avant leur départ, les femmes manifestent un désir plus fort de connaître la culture locale et, une fois à l'étranger, elles y participent plus activement;
* les femmes accordent plus d'importance au fait de connaître la langue du pays et consacrent plus de temps à l'apprendre;
* les femmes affichent des idées plus progressistes sur le développement, et leurs collègues ont estimé qu'elles se souciaient des gens davantage;
* les femmes reconnaissent avoir eu plus de mal que les hommes à s'adapter à un environnement étranger, mais elles font également état de plus grandes satisfactions sur le plan professionnel.

Étant donné ces conclusions, il est encourageant de constater que les femmes prennent désormais davantage part au processus de développement. En 1980, les femmes ne constituaient que quatre pour cent des conseillers sur lesquels portait l'étude *Les Canadiens au service du développement international*. Dans la présente étude, effectuée neuf ans plus tard, elles constituent 13 % de l'échantillonnage. Et en 1999, les femmes constituaient 33 % des spécialistes envoyés en affectations pour réaliser les programmes d'aide au développement canadiens.

Le facteur âge

L'âge du conseiller ne semble pas constituer un facteur essentiel en ce qui concerne l'efficacité à l'étranger. On n'a trouvé aucun rapport direct entre l'âge et les degrés de stress, la compréhension ou l'efficacité. Et, bien que l'âge n'ait pas eu d'effet sur le degré de satisfaction, on a constaté que les personnes plus âgées citaient leur participation à la vie culturelle locale comme leur principal

motif de satisfaction à l'étranger. Ces personnes se déclaraient plus altruistes, accordant à l'altruisme une plus grande importance, et affichaient des idées plus conventionnelles vis-à-vis du développement.

L'instruction, l'état civil, le type du projet de développement et le rôle professionnel

Aucuns résultats significatifs concernant ces variables de contexte n'ont été révélés par l'analyse des statistiques.

Les variables circonstancielles

La personnalité et les facteurs circonstanciels

Au cours des 20 dernières années, on a beaucoup parlé, dans le domaine de la psychologie sociale et culturelle, de l'influence que peuvent avoir la personnalité et le contexte sur les résultats d'un séjour à l'étranger. Si beaucoup ont prétendu que le contexte (conditions de vie, contraintes professionnelles, ingérence politique) pèse de façon déterminante sur la réussite de celui qui est affecté à l'étranger, cette étude montre bien le rôle que jouent certains traits de caractère dans la prédiction d'un éventuel succès. Le fait fréquent qu'un même contexte étranger est jugé contraignant par certains et libérateur par d'autres indique que l'environnement ne constitue pas une réalité objective immuable subie par tout le monde de la même façon, mais que la façon dont chacun perçoit cet environnement lui est dictée par sa personnalité. En ce sens, la présente étude vient étayer la théorie interactioniste de Bowers voulant que « les situations dépendent autant des individus en cause que le comportement de ceux-ci dépend de la situation. ».[14]

Si les études antérieures n'ont pu établir de correspondance entre les traits de caractère et la réussite ou l'échec d'un séjour à l'étranger, on pourrait attribuer cette incapacité aux méthodes utilisées plutôt qu'aux traits de caractères eux-mêmes. Cette étude montre bien que les traits de caractères influent sur la façon dont un individu interprète une situation donnée et y réagit. De plus, il est très net que la façon dont on interprète une situation à l'étranger aura des répercussions sur le bilan final. On a, par exemple, constaté que ceux qui jugeaient leur environnement contraignant et beaucoup moins confortable qu'au Canada avaient tendance à être plus mal notés sur leur capacité de transmettre connaissances et

---

14 Bowers, K.S. (1973). « Situationism in Psychology: An analysis and Critique, » *Psychological Review* 80, 307-336.

compétences. Toutefois, ce qui est plus intéressant, c'est que certains traits de caractère (sollicitude, altruisme, indifférence pour le statut ou la sécurité) permettaient de prédire que le sujet serait capable de bien transmettre connaissances et compétences, mais aussi qu'il trouverait son environnement confortable et favorable.

En établissant l'importance des traits distinctifs du caractère, nous ne cherchons nullement à nier l'influence des facteurs circonstanciels sur le résultat final. On peut toutefois conclure que si quelqu'un ne possède pas avant tout certains traits de caractères et certaines qualités personnelles, il ne pourra pas y avoir de bonne transmission de connaissances et de compétences aux gens d'une autre culture, quels que soient le contexte et la formation du conseiller.

Difficultés et satisfaction

On a pu constater que les Canadiens en poste dans des pays où les conditions de vie et de travail étaient extrêmement difficiles se déclaraient plus satisfaits que ceux affectés dans des pays aux conditions moins pénibles. L'explication la plus plausible à cette étonnante constatation est que les conseillers affectés à des postes difficiles sont obligés de s'investir davantage pour se débrouiller dans leur nouveau milieu, et les expériences plus intenses qu'ils vivent s'avèrent gratifiantes. Face à une situation difficile, les gens ont tendance à se regrouper et à s'entraider. On est davantage porté à aider les gens qui se trouvent dans la même situation. Si la fréquentation d'autres Canadiens et d'autres expatriés est plus assidue, les rapports qui s'établissent sont plus coopératifs, positifs et utiles que ceux observés dans le ghetto canadien. Les Canadiens affectés à des postes moins contraignants ont tendance à établir des relations plus superficielles avec les autres expatriés. Les rapports qu'ils ont avec les autres sont souvent moins profonds et plus compétitifs.

À la recherche d'instruments d'évaluation

Objectif 3

Identifier et élaborer des instruments de sélection permettant de vérifier que les conseillers éventuels possèdent les compétences nécessaires pour être efficaces à l'étranger.

Discussion

Déterminer la validité des instruments d'évaluation existants

Après avoir identifié un certain nombre de qualités personnelles nécessaires à la réussite à l'étranger (c.-à-d. celles du profil du conseiller technique efficace, voir figure 2), il importait d'élaborer des instruments qui permettraient d'évaluer les candidats aux affectations à l'étranger. À cette fin, il a été décidé de tester plusieurs instruments possibles.

Le **répertoire de la personnalité de Jackson**. On a choisi, dans le répertoire de la personnalité de Jackson, trois échelles pour mesurer des qualités reconnues comme étant déterminantes pour l'efficacité à l'étranger : *la participation sociale* – mesure de l'intérêt et de l'activité dans les relations interpersonnelles; *l'habileté sociale* – mesure de la capacité de persuasion et de l'aptitude à saisir les situations et à traiter avec les personnes; et *le conformisme* – mesure de la tendance à suivre plutôt qu'à mener.

L'indice des qualités interpersonnelles a été adapté du **répertoire des dimensions personnelles** utilisé par Hawes et Kealey dans l'étude *Les Canadiens au service du développement international* et examine 15 éléments associés aux *compétences interpersonnelles*.

L'échelle des attentes et des attitudes pré-départ vis-à-vis du développement a été mise au point pour mesurer *le réalisme des attentes avant le départ, les attitudes face au développement, le désir d'avoir des contacts avec les ressortissants nationaux et le degré d'intimité avec la famille et le conjoint*.

L'échelle d'autorégulation a servi à évaluer *le comportement d'auto-régulation*, c'est à dire la mesure dans laquelle une personne tente d'exercer

À LA RECHERCHE D'INSTRUMENTS D'ÉVALUATION   **DISCUSSION**

un contrôle sur l'image et l'impression qu'elle laisse aux autres lors d'un contact social. L'échelle consiste en une liste de 25 questions auxquelles on doit répondre par « vrai » ou « faux ».

Le **test collectif des figures cachées** a été utilisé pour vérifier *le style cognitif*. Ce test chronométré consiste en 18 figures complexes distinctes. La personne interrogée doit retrouver une forme simple cachée dans chacune de ces figures.

Le **répertoire des valeurs professionnelles** était une échelle composée de 19 éléments, servant à mesurer *les valeurs professionnelles et les priorités de carrière* d'une personne.

Résultats

Nouveaux instruments d'évaluation

Après avoir défini les traits de personnalité généralement associés à l'efficacité à l'étranger, comment nous y prendre pour mesurer ces caractéristiques? Certains des instruments de recherche utilisés au cours de l'étude peuvent-ils servir d'instruments d'évaluation pour la sélection des conseillers pour l'étranger?

Une conclusion s'impose, à savoir que les répertoires psychologiques normalisés sont d'une utilité limitée pour la sélection des candidats aux affectations à l'étranger. Cependant, trois instruments spécialement mis au point pour les besoins de notre étude semblent prometteurs :

- **Le répertoire pour la vie et le travail à l'étranger**, qui sert à mesurer les qualités interpersonnelles et autres que l'on associe à l'efficacité interculturelle. Il est rempli par le candidat.[15]

- La **liste de vérification des comportements interpersonnels**. C'est un outil qui permet de recueillir l'opinion des collègues et des superviseurs sur la mesure dans laquelle le candidat possède les qualités indispensables à la réussite. Pour compléter cette liste, au lieu de rédiger une lettre de recommandation, on demandera au candidat de fournir lui-même des références personnelles.

- L'**indice des communications dans le contexte du développement.** Il s'agit d'un outil utilisé sur le terrain et destiné à évaluer la qualité des échanges et la justesse de la perception entre les conseillers canadiens et leurs homologues locaux travaillant dans le cadre d'un projet de développement. Cet indice offre 30 scénarios relatifs à des questions comme l'évolution des projets ou la faculté d'adaptation. On demande séparément au conseiller et à son homologue de dire comment ils réagiraient dans chacune des situations, et d'imaginer la façon dont réagirait leur homologue. On a conçu cet outil en vue de résoudre les problèmes, c'est à dire que les résultats peuvent être immédiatement communiqués aux conseillers et à leurs homologues et servir de matière pour un atelier sur la constitution d'une équipe et sur les communications entre cultures.

---

15 Cet inventaire a été élargi et perfectionné à la suite de son utilisation en Amérique du Nord et en Europe par des sociétés internationales et des organismes de bénévolat. Ce répertoire s'appelle dorénavant *Inventaire des compétences interculturelles pour vivre et travailler à l'étranger* (ICI).

À LA RECHERCHE D'INSTRUMENTS D'ÉVALUATION   RÉSULTATS

Ces instruments sont prometteurs parce qu'ils offrent des scénarios pratiques, pertinents et basés sur le comportement. Par conséquent, les interrogés se sentaient plus à l'aise parce que les questions se rapportaient à des situations qu'ils étaient susceptibles d'avoir à affronter dans leur vie et leur travail à l'étranger.

Si les répertoires psychologiques traditionnels ne permettent pas de prédire les résultats à l'étranger, cela ne signifie pas que les caractéristiques personnelles ne peuvent pas servir à prédire les chances de succès. Comme nous l'avons vu précédemment, les traits de caractère et l'attitude personnelle sont les principaux facteurs qui déterminent le succès à l'étranger. Ce n'est pas la pertinence des caractéristiques, mais la façon de les mesurer qui pose un problème.

Une raison qui pourrait expliquer l'échec des répertoires psychologiques est l'accueil négatif que leur ont réservé les agents de développement soumis à une évaluation. Bon nombre d'entre eux estimaient que les questions posées étaient inappropriées ou inutilement indiscrètes. Par contre, les trois échelles qui ont donné des résultats étaient davantage axées sur le comportement. Les interrogés devaient prédire comment ils réagiraient dans une situation donnée, au lieu d'avoir à commenter de déclarations du genre : « Souvent, je me demande si la vie vaut la peine d'être vécue. »

Enfin, il ressort de cette étude que les qualités interpersonnelles et l'efficacité d'un individu étaient évaluées avec plus de justesse par ses collègues que par lui-même. Les conseillers avaient tendance à brosser d'eux-mêmes un portrait trop flatteur. Par exemple, un grand nombre d'entre eux prétendaient n'avoir éprouvé qu'un faible choc culturel, voire aucun; d'autres estimaient s'intéresser énormément à la culture locale et transmettre leurs connaissances et leurs compétences avec beaucoup d'efficacité. Toutefois, ces autoévaluations étaient contredites par leurs collègues et les observations auxquelles s'étaient livrés les enquêteurs lors des entrevues sur le terrain. Ces observations confirmaient généralement l'évaluation des collègues, alors que les autoévaluations des conseillers concordaient mal avec les évaluations de leurs collègues ou des enquêteurs. Il semble que les instruments d'évaluation des candidats faisant appel à l'évaluation des collègues permettraient de mieux mesurer les qualités interpersonnelles d'un individu et l'efficacité avec laquelle il transmet ses connaissances et son savoir-faire que les instruments reposant sur l'autoévaluation de l'intéressé.

Vers l'élaboration d'une nouvelle théorie concernant le choc culturel

Objectif 4

Clarifier les rapports entre les indices de stress d'acculturation (choc culturel) et ceux d'efficacité à l'étranger.

Discussion

Choc culturel et efficacité

L'étude à propos du Kenya semble indiquer que certains de ceux dont on estime qu'ils ont le mieux réussi à transmettre leurs connaissances et leurs compétences ont eu beaucoup de mal à s'adapter à une culture nouvelle. Pour essayer de comprendre ce phénomène, on a tenu le raisonnement suivant. Les conseillers qui ont su s'adapter à d'autres cultures sont plus grégaires et utilisent leurs vastes connaissances des indices sociaux pour décoder leur milieu et réagir adéquatement au sein de celui-ci. Dans un environnement nouveau, ces indices ne tiennent plus; les sujets sont donc confrontés à de nouveaux signes et à des attentes différentes qui les perturbent et les angoissent. À cela s'ajoute la séparation de la famille et des amis, qui peut être particulièrement éprouvante pour les personnes grégaires.

Aussi le stress d'acculturation est-il intense durant cette période de transition, car le choc culturel n'est pas seulement dû à la rencontre de ce qui est nouveau mais aussi à la perte de ce qui est ancien et familier. Un des buts de cette étude était d'essayer de vérifier si les qualités interpersonnelles, normalement associées à un bon rendement à l'étranger, permettent de prédire également un plus fort stress d'acculturation durant la période initiale d'adaptation. De toute évidence, établir une relation de ce type aurait d'importantes répercussions sur la sélection future des coopérants à l'étranger et sur leur préparation.

Résultats

Choc culturel et efficacité

Comme l'avaient révélé les deux études antérieures de l'ACDI, on associait les qualités interpersonnelles à l'efficacité à l'étranger, ainsi que l'ont noté les collègues des conseillers et les homologues locaux. Fait intéressant cependant : la présence de ces qualités - souplesse, respect, écoute, coopération, maîtrise de soi et sensibilité – est également associée à une plus grande difficulté d'adaptation en pays étranger. Ceux qui, d'après leurs collègues, étaient jugés les plus efficaces à l'étranger étaient également portés à subir un choc culturel plus prononcé durant leur période de transition. Par conséquent, cette étude corrobore la théorie d'un nouveau modèle de stress d'acculturation.

Même si ces résultats semblent contre-intuitifs, ils ne devraient pas surprendre (comme nous l'avons vu précédemment). Les personnes très sociables accordent beaucoup d'importance aux gens qu'ils côtoient dans leur existence. Pour aller se plonger dans un contexte culturel étranger, ils se sont coupés de leur famille et de leurs amis canadiens et, dans leur nouvel environnement, personne ne les connaît. Ils souffrent d'un stress d'acculturation puisqu'ils ont perdu ce qui leur était familier et se sont confrontés à tout ce qui ne l'est pas. Ce sentiment initial de perte s'estompe petit à petit, à mesure qu'ils s'installent dans leur nouveau milieu et qu'ils établissent de nouvelles relations.

Ces conclusions revêtent une signification importante pour la sélection du personnel à affecter à l'étranger. Jusqu'à présent, de nombreux recruteurs considéraient la faculté d'adaptation comme le premier critère de sélection et recherchaient la personne qui éprouverait le moins de stress d'acculturation, c'est à dire quelqu'un qui pourrait assumer ses fonctions dès son arrivée dans un pays étranger. Les résultats de notre étude militent contre cette pratique, étant donné qu'au moins un certain nombre de ceux qui, au bout du compte, réussiront le mieux à transmettre leurs compétences et leurs connaissances éprouveront également de réelles difficultés d'acculturation. En choisissant uniquement les individus jugés très adaptables, les recruteurs et les agences de développement laissent peut-être passer certains des meilleurs candidats.

Il faut souligner que le rapport entre les qualités personnelles et l'efficacité des conseillers telles qu'elles ont été notées par leurs collègues montre bien également que tous s'entendent sur la notion d'efficacité à l'étranger. De toute

**VERS L'ÉLABORATION D'UNE NOUVELLE
THÉORIE CONCERNANT LE CHOC CULTUREL**

évidence, savoir transmettre ses connaissances consiste à pouvoir faire preuve de certaines qualités sociales, à s'intéresser à autrui et à s'efforcer d'aider les autres à assurer le développement.

Il est intéressant de noter que les entrevues de cadres supérieurs d'entre-prises privées réalisés pour cette étude montrent une façon différente de mesurer le succès à l'étranger. Pour de nombreuses entreprises privées, la réussite consiste à recruter des employés qui resteront à l'étranger pendant la durée de leur affectation, sans avoir à être rapatriés. Étant donné que l'ACDI confie de plus en plus à des agences d'exécution la mise en œuvre de ses projets de développement, il y a un risque d'incompatibilité entre les objectifs. Il faut donc prendre des mesures pour assurer que les entreprises privées engagent des personnes capables de transmettre compétences et connaissances, et non point seulement des gens qui pourront « survivre » à leur affectation.

La dynamique du modèle de transfert efficace

Objectif 5

Tester et affiner le modèle de transfert efficace proposé dans l'étude *Les Canadiens au service du développement international.*

Discussion

Une voie vers l'efficacité

Ce modèle avançait qu'une personne possédant un haut degré de savoir-faire professionnel, personnel et interpersonnel a de meilleures chances d'être active sur le plan interculturel durant son séjour à l'étranger. Elle est davantage motivée, déterminée et désireuse de se familiariser avec la culture locale et une fois à l'étranger, elle s'intéresse de très près à cette culture. Cette interaction jette les bases d'une confiance et d'un respect mutuels entre le conseiller et les ressortissants avec lesquels il travaille. La confiance et le respect contribuent à améliorer la compréhension entre le conseiller et ses homologues, ce qui facilite l'apprentissage et le transfert des compétences. La figure 6 dépeint le processus d'un transfert efficace, tel que décrit dans l'étude *Les Canadiens au service du développement international.*

Toutefois, pour que ce processus se déroule correctement, il importe que l'intéressé s'applique réellement à transmettre ses compétences; il s'agit là d'une tâche difficile qui demande beaucoup d'efforts et de détermination. En outre, le transfert des compétences dans un contexte interculturel constitue un processus complexe que peuvent perturber des facteurs externes. Un manque de ressources humaines, des ingérences politiques, un manque d'homologues compétents, d'équipements, de matériel ou d'infrastructures de soutien, ou encore l'inadéquation de certaines technologies peuvent faire obstacle à ce transfert en dépit des compétences et de la détermination du conseiller et de son homologue. Néanmoins, les qualités et les aptitudes personnelles et interpersonnelles décrites ci-dessus sont nécessaires au transfert efficace des compétences. Même si la possession de ces aptitudes n'est pas une garantie de succès, étant donné les facteurs externes incontrôlables, il est fort peu probable que, sans elles, un transfert de compétences et de connaissances puisse s'effectuer. Les qualités personnelles du conseiller constituent la base essentielle d'une assistance technique efficace.

LA DYNAMIQUE DU MODÈLE DE TRANSFERT EFFICACE   DISCUSSION

Figure 6
La dynamique du modèle de transfert efficace
Étude : Les Canadiens au service du développement international, 1980

Pré-départ	Interaction et entregent
Personne avec des compétences interpersonnelles et professionnelles énoncées à la figure 2 (p. 15) ■ a quelques inquiétudes au sujet de la vie à l'étranger ■ s'attend à une expérience enrichissante ■ attentes réalistes	■ apprend la langue locale ■ établit des contacts avec la population locale ■ cherche des connaissances sur le pays

Figure 7
La dynamique du « nouveau » modèle de transfert efficace

Pré-départ	Interaction et entregent	
Personne avec des compétences interpersonnelles et professionnelles énoncées à la figure 8 (p. 54) ■ a quelques inquiétudes au sujet de la vie à l'étranger mais est confiant de sa capacité à s'adapter ■ s'attend a une expérience enrichissante ■ exprime le désir de participer à la culture locale ■ fait preuve de confiance	Peut éprouver des difficultés et être déprimé durant son adaptation à son nouvel environnement	■ apprend la langue locale ■ établit des contacts avec la population locale ■ cherche des connaissances sur le pays

■ désir/motivation pour l'interaction, donc l'apprentissage va croissant

■ L'ajustement au stress est minimisé – donc la satisfaction est accrue

DISCUSSION   **LA DYNAMIQUE DU MODÈLE DE TRANSFERT EFFICACE**

- le texte en bleu réprésente l'étude de 1980
- le texte en rouge réprésente le nouveau modèle

Résultat

- **le national commence à respecter le Canadien et à lui faire confiance**  **Transfert des compétences et connaissances**

Résultat

- **compréhension accentuée entre le national et le Canadien**  **le national commence à respecter le Canadien et à lui faire confiance**  **Transfert des compétences et connaissances**

Résultats

La nouvelle voie de l'efficacité

Tel que le démontre la figure 7, les éléments de cette étude présentent un tableau plus complet de la voie à suivre pour transférer efficacement des compétences et des connaissances. Le conseiller démontrant les compétences professionnelles et l'engagement nécessaires et possédant les qualités interpersonnelles et autres orientations essentielles énumérées dans la figure 8 à la section suivante est davantage motivé, déterminé et désireux de se familiariser avec la culture locale. Une fois à l'étranger, il s'intéresse de très près à cette culture. Des contacts nombreux répondent à ses attentes et à ses aspirations, entraînant moins de stress et une satisfaction accrue. Comme nous l'avons vu dans la section précédente, de nombreux conseillers qui n'arrivent pas à transférer efficacement leurs connaissances et compétences signalent des difficultés à gérer le stress de la transition; avec le temps, toutefois, ces conseillers finissent par s'intéresser de plus en plus fortement à la culture locale. C'est grâce à ce contact et à cette participation à la culture que la satisfaction générale par rapport à leur vie s'améliore.

Ce sentiment de bien-être favorise alors leur participation interactive à la culture, ainsi que leur désir d'apprendre à connaître et d'expérimenter cette nouvelle culture. C'est cette importante résolution à être actif sur le plan interculturel et à s'engager à former le personnel local qui accroît le degré de compréhension entre le conseiller et ses homologues nationaux. Une plus grande compréhension contribue vraisemblablement à accroître la confiance et le respect du ressortissant envers le conseiller. L'apprentissage est facilité par cette base de confiance et de compréhension mutuelles qui ouvrent la voie à un transfert efficace des compétences et des connaissances. De manière certaine, cette étude prouve que les Canadiens qui se montraient les plus compréhensifs envers leurs homologues étaient souvent les mieux notés pour leur efficacité à transmettre compétences et connaissances. Par conséquent, l'efficacité d'un conseiller à l'étranger dépend de son aptitude à comprendre les ressortissants locaux avec qui il travaille et à gagner leur respect et leur confiance.

Autres constatations clés

Hormis le fait que l'étude ait réussi à atteindre les objectifs de recherche traités dans la section précédente, d'autres constatations importantes ont été relevées :

Nouveau modèle d'efficacité

Les résultats de cette étude ont confirmé le profil type du conseiller technique efficace présenté dans l'étude *Les Canadiens au service du développement international* (voir figure 2). Notre étude élargit ces constatations antérieures et nous permet de dégager plus précisément les caractéristiques personnelles communes à ceux qui parviennent le mieux à transmettre leurs connaissances et leurs compétences. Le nouveau portrait ainsi établi précise quelles sont les caractéristiques observables avant le départ à l'étranger – importantes pour l'élaboration des instruments de sélection et d'évaluation – ainsi que les caractéristiques manifestées durant l'affectation à l'étranger (voir figure 8). Même si l'on ne peut attendre des candidats aux affectations outre-mer qu'ils possèdent toutes les caractéristiques du conseiller « idéal », le modèle ci-dessous énumère un certain nombre des caractéristiques souhaitables, susceptibles de favoriser de bons résultats.

Figure 8
Le nouveau profil du conseiller technique efficace à l'étranger

1. Compétences professionnelles

La compétence professionnelle a trait aux études, à la formation et à l'expérience ainsi qu'à un intérêt réel envers le travail à l'étranger. La personne doit normalement comprendre la façon dont il lui faut modifier ses connaissances professionnelles et techniques pour les adapter aux conditions et aux contraintes locales.

2. Évaluation du comportement

Aptitudes aux rapports interpersonnels

Souplesse :	réaction souple aux idées, aux opinions et aux points de vue des autres; ouverture d'esprit.
Respect :	attitude envers les autres qui les fait se sentir appréciés, personne attentive et préoccupée des autres; personne qui témoigne de l'attention aux autres. '
Écoute :	personne qui sait écouter les autres et perçoit leurs besoins et leurs sentiments.
Entregent :	personne capable d'établir et d'entretenir des relations; personne confiante, amicale et coopérative.
Maîtrise :	personne calme qui garde son sang-froid lorsqu'elle est confrontée à des conflits interpersonnels ou à des situations de tension.
Sensibilité :	personne sensible aux réalités sociales, politiques et culturelles du pays.
Sollicitude :	personne capable de lire la souffrance ou la gêne sur le visage d'une autre personne et ayant la faculté de percevoir les besoins et les sentiments des autres.
Persévérance :	personne déterminée à travailler à la réalisation des objectifs fixés, même si les tâches deviennent extrêmement décourageantes.
Esprit d'équipe :	préfère travailler avec d'autres personnes plutôt que toute seule.
Tolérance envers l'ambiguïté :	personne pour qui le manque de structure et de clarté ne constitue pas un obstacle au travail (c.-à-d., se soucie peu de la sécurité de l'emploi, des relations de travail avec le patron, d'une situation professionnelle bien définie et de bonnes conditions physiques de travail).
Raffinement social :	habileté à lire une situation sociale; diplomatie; habileté à persuader les autres à atteindre certains buts.
Contrôle de soi élevé :	règle son comportement pour répondre aux besoins de la situation.

Affirmation/Conscience de soi

Initiative :	une des premières à agir, à offrir des suggestions ou à proposer un plan d'action.
Confiance :	exprime et fait preuve de confiance en soi concernant ses objectifs personnels et son jugement.
Franchise :	franche et ouverte envers les autres.
Mobilité ascendante :	ne recherche pas des revenus élevés et un cadre de vie idéal; accorde peu d'importance au prestige, à l'avancement et au statut social.

3. Perception de soi

- Ouverture d'esprit/absence d'ethnocentrisme
- Rapports harmonieux avec les autres
- Franchise
- Confiance en soi/esprit d'initiative
- Bonnes relations familiales
- Ouverture d'esprit/souplesse
- Caractère extraverti

4. Attentes

Attitude confiante avant le départ

Avant le départ, l'individu devrait être conscient des contraintes et des barrières qui pourraient nuire à l'efficacité de son rendement. La confiance en soi démontrée par un individu quant à sa faculté à faire face aux conditions de vie et de travail constitue un élément important pour prédire sa réussite; les personnes devraient au moins être assez optimistes quant à leurs chances de succès.

- A quelques inquiétudes au sujet de la vie à l'étranger mais est confiant de sa capacité à s'adapter
- S'attend à une expérience enrichissante
- Exprime le désir de participer à la culture locale

■ Le texte en bleu représente l'étude de 1980.
■ Le texte en rouge représente le nouveau profil.

Efficacité du conseiller

D'après les entrevues effectuées auprès des conseillers eux-mêmes et des notes que leur ont attribué leurs collègues et leurs homologues locaux, l'équipe de recherche a constaté que seuls 20 % des conseillers canadiens à l'étranger réussissaient à très bien transférer leurs compétences et leurs connaissances. La vaste majorité d'entre eux (65 %) n'avaient eu que peu d'impact, n'étaient ni vraiment bons ni vraiment mauvais et 15 % sont apparus comme très inefficaces.

Ces notations médiocres témoignent de la difficulté de la tâche à laquelle les conseillers canadiens doivent faire face. Le transfert des compétences et des connaissances

est une tâche très exigeante. Elle demande un haut degré d'engagement, une énergie et une persévérance sans bornes, tout en offrant peu de récompenses. Elle exige un niveau élevé de compréhension, de coopération et de patience et passe par la volonté de surmonter divers obstacles interpersonnels, culturels, sociaux, économiques et politiques. Face à ces difficultés, de nombreux conseillers capitulent et cherchent du réconfort auprès d'autres Canadiens et dans le « ghetto des expatriés ». Ceux qui acceptent de relever le défi doivent souvent faire face à l'ostracisme de la communauté canadienne, qui considère le bon conseiller comme un reproche vivant à leur propre absence d'intérêt.

Efficacité contre satisfaction

Quel que soit leur degré d'efficacité, la plupart des Canadiens sont satisfaits de leur expérience à l'étranger. Soixante-quinze pour cent d'entre eux se sont dits plus satisfaits de leur vie à l'étranger que de celle qu'ils menaient auparavant au Canada. La figure 9 illustre le rapport entre la satisfaction et l'efficacité à l'étranger. On pourrait se demander pourquoi si peu de Canadiens (20 %) réussissent à très bien à transférer leurs connaissances et leurs compétences alors que beaucoup d'entre eux se déclarent satisfaits de leur vie dans leur nouvelle culture. On pourrait avancer l'explication que les Canadiens tirent leur satisfaction du fait de « vivre comme des étrangers » (c.-à-d., aimer rencontrer fréquemment d'autres expatriés, avoir des domestiques, des chauffeurs, etc.) plutôt que de relever le défi qui se pose à eux sur le plan professionnel. L'efficacité professionnelle requiert de s'intéresser fortement à la culture locale, d'apprendre la langue locale et de nouer des contacts avec des collègues locaux. Ces démarches sont très exigeantes, c'est pourquoi rares sont ceux qui les entreprennent.

Compte tenu de ces résultats, il est peut-être surprenant que 20 % seulement des Canadiens interrogés aient estimé que leurs conditions de vie étaient meilleures à l'étranger qu'au Canada. En fait, 45 % ont estimé vivre moins confortablement qu'au Canada, alors que 35 % d'entre eux n'ont pas trouvé de changement.

Soixante-cinq pour cent des Canadiens ont déclaré que leur environnement étranger ne constituait pas une entrave à leur efficacité professionnelle.

Le prix de l'efficacité que doit payer le conseiller

Les compétences et les préférences qui permettent à un conseiller d'être efficace risquent également de l'isoler de la communauté canadienne à l'étranger. Ceux qui étaient considérés comme les plus efficaces s'étaient davantage intégrés à la population locale et à la culture d'accueil, tout en s'efforçant d'apprendre la

Figure 9
Rapport entre la satisfaction et l'efficacité à l'étranger

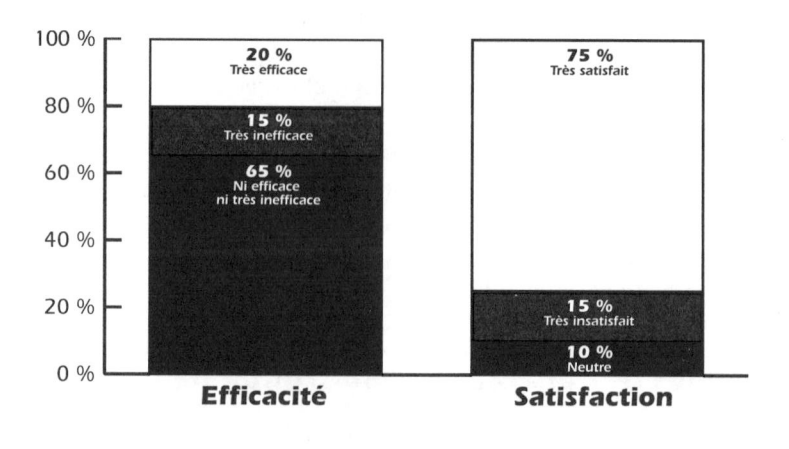

langue du pays. Cette ouverture d'esprit, et donc ce plus grand intérêt dans le pays, entraînent le plus souvent un certain ostracisme de la part des autres expatriés canadiens qui voient leur comportement comme une menace. Ceux qui essaient de se familiariser avec la culture locale risquent de subir un stress personnel accru du fait qu'à celui, normal, de l'adaptation interculturelle, vient s'ajouter leur isolement du reste de leurs compatriotes. De plus, la tendance que manifestent ces conseillers à éprouver un choc culturel initial plus violent montre la nécessité de mettre en place à l'étranger des structures de soutien plus concrètes.

L'importance du choc culturel

Si, dans le cadre de cette étude, 65 % des Canadiens ont nié avoir subi au départ un quelconque choc culturel, 55 % d'entre eux ont admis, lors d'entrevues ultérieures, avoir éprouver quelques difficultés à s'adapter. Tout donne à penser que la plupart éprouvent de la difficulté au début, par rapport à la transition interculturelle, mais se sentiraient déshonorés d'avouer leurs difficultés à s'adapter à leur nouvelle culture. Beaucoup voient ces difficultés comme une faiblesse qu'ils serait honteux de reconnaître.

Par le passé, les chercheurs considéraient le choc culturel comme le résultat

négatif – bien que fort répandu – de l'adaptation interculturelle, aussi ont-ils cherché à le tempérer ou à carrément l'éliminer. C'est ce qui explique partiellement pourquoi, au moment de sélectionner le personnel à affecter à l'étranger, la préférence est donnée à ceux qui ont déjà séjourné à l'étranger. Toutefois, comme nous l'avons dit précédemment, si un séjour antérieur à l'étranger permet souvent une adaptation plus facile et plus rapide au départ, rien ne permet de penser qu'il est automatiquement la garantie d'une plus grande efficacité. Il nous faut changer d'attitude pour ce qui a trait au choc culturel. Les connotations négatives qui lui sont associées doivent être écartées et il doit, au contraire, être perçu comme un aspect incontournable du processus d'adaptation interculturelle. Le fait qu'un grand nombre de ceux dont l'activité à l'étranger sera la plus efficace subiront au départ un choc culturel considérable ne met que plus en évidence le besoin de soutenir moralement les conseillers et leur famille dans le pays d'accueil.

Les étapes de l'adaptation interculturelle

Des recherches effectuées dans le passé ont établi qu'un individu en affectation pour deux ou trois ans dans un pays étranger passait par trois étapes d'adaptation distinctes. Une première phase dite d'euphorie est suivie d'une période de dépression laquelle, avec le temps, cède la place à nouveau à des sentiments de satisfaction. Sous forme graphique, ces phases sont représentées par une courbe en « U » ou en « W »[16] si le graphique prend en compte le retour du sujet dans son pays à la fin de son affectation (il passe de nouveau par ces trois phases lorsqu'il se replonge dans sa propre culture).

Les résultats de cette étude illustrés dans la figure 10 nous autorisent à remettre en question le bien-fondé de la théorie traditionnelle de l'adaptation interculturelle de la courbe en « U ». Environ 35 % des 277 conseillers couverts par l'étude n'étaient pas satisfaits, au début, de leur existence à l'étranger; au bout de 6 à 12 mois, ils éprouvaient à nouveau une satisfaction égale à celle qui avait précédé leur départ du Canada puis, après un an à l'étranger, cette satisfaction s'était encore intensifiée selon eux. Trente pour cent environ des interrogés s'installèrent dans leur nouvel environnement très satisfaits et le demeurèrent durant toute leur affectation. Quinze pour cent abordèrent leur séjour médiocrement satisfaits et le demeurèrent, eux aussi, jusqu'au bout. Dix autres pour cent abordèrent leur séjour avec le même degré de satisfaction qu'ils avaient éprouvé au Canada pendant

---

16 Gullahorn, J & Gullahorn J (1963). An Extension of the U-Curve Hypothesis. *Journal of Social Issues*, 19, 33-47. Gullahorn et Gullahorn ont représenté ces phases d'adaptation par la « courbe en U » et plus tard par la « courbe en W » pour prendre en compte la répétition de ces trois phases au retour dans sa propre culture.

Figure 10
Les étapes de l'adaptation interculturelle

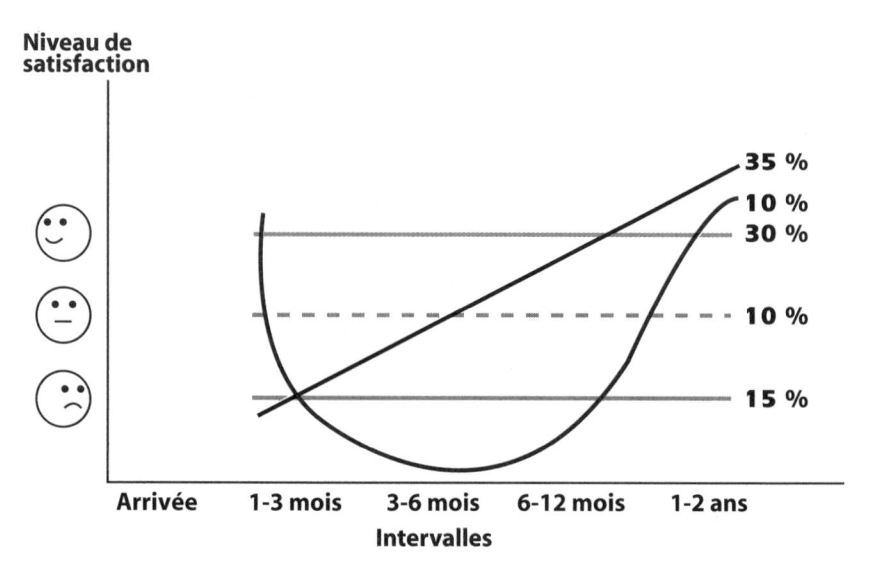

Niveau de satisfaction

35 %
10 %
30 %
10 %
15 %

Arrivée   1-3 mois   3-6 mois   6-12 mois   1-2 ans
Intervalles

 Environ 35 % des 277 conseillers couverts par l'étude n'étaient pas satisfaits, au début, de leur existence à l'étranger; par contre, au bout de 6 à 12 mois, ils éprouvaient à nouveau une satisfaction égale à celle qui avait précédé leur départ du Canada puis, après un an à l'étranger, cette satisfaction s'était encore intensifiée selon eux.

Environ 30 % des interrogés s'installèrent dans leur nouvel environnement très satisfaits et le demeurèrent durant toute leur affectation.

Quinze pour cent abordèrent leur séjour médiocrement satisfaits et le demeurèrent, eux aussi, jusqu'au bout.

Dix autres pour cent abordèrent leur séjour avec le même degré de satisfaction qu'ils avaient éprouvé au Canada pendant l'année ou les deux ans qui avaient précédé leur départ et ils restèrent à ce niveau durant toute leur affectation.

Et seulement 10 % de l'échantillonnage ont fait état de fluctuations de satisfaction conforme à la courbe en « U ».

l'année ou les deux ans qui avaient précédé leur départ et ils restèrent à ce niveau durant toute leur affectation. Dix pour cent seulement de l'échantillonnage ont fait état de fluctuations de satisfaction conforme à la courbe en « U ».

La courbe en « U » étant admise depuis fort longtemps, il importe de considérer les résultats de la présente étude avec prudence. Il convient cependant de noter que bon nombre de conseillers canadiens se sont dits très déprimés durant les premiers mois de leur séjour à l'étranger, ce qui contraste fortement avec le niveau initial de satisfaction très élevé indiqué par la courbe en « U ». Ces conclusions, qui viennent s'ajouter aux critiques émises par d'autres chercheurs, donnent à penser que ce sujet a encore besoin d'être approfondi.

La réalité du ghetto d'expatriés

Une des questions que se posent le plus fréquemment les Canadiens sur le point de partir pour leur affectation à l'étranger est : « Comment pourrai-je ou comment devrai-je m'y prendre pour m'accommoder d'une culture dont les coutumes et les valeurs sont en contradiction avec celles de ma propre culture? »

Selon Berry,[17] il existe quatre façons de réagir :

- **L'assimilation** – on adopte la nouvelle culture tout en rejetant la sienne
- **L'intégration** – on s'adapte à la nouvelle culture tout en conservant la sienne
- **La séparation** – on conserve sa propre culture tout en évitant les contacts avec la nouvelle
- **La marginalisation** – on est incapable de s'adapter à la nouvelle culture, sans pour autant se sentir à l'aise dans la sienne

Cette étude nous a permis de constater que la majorité des Canadiens à l'étranger choisissent – pour s'adapter – la solution de la séparation. D'après les observations effectuées sur le terrain et les entrevues des conseillers, de leurs conjoints et de leurs homologues locaux, 50 % des conseillers canadiens, tout au plus, prennent part de façon appréciable à la culture locale. Alors que certains s'efforcent d'apprendre la langue, d'en savoir davantage sur le pays ou de rencontrer et de fréquenter ses ressortissants; en revanche, la moitié au moins des Canadiens à l'étranger n'ont que des rapports très restreints avec la culture et la population du pays d'accueil. Dans les pays en voie de développement, les Canadiens ont tendance à vivre dans des enclaves

---

17 Berry, J.W. (1980). « Acculturation as varieties of Adaptation, » dans A. Padilla (ed.) *Acculturation: Theory, model, and some new findings.* Washington : AAAS.

d'expatriés, ou des ghettos; il fréquentent surtout leurs compatriotes et limitent au strict minimum leurs rapports avec les ressortissants locaux. Ce faisant, ils se comportent en touristes plutôt qu'ils ne contribuent au développement social et professionnel du pays d'accueil. Une petite minorité opte pour l'intégration, s'efforçant non seulement de connaître la population locale, sa langue et sa culture, mais aussi en participant à cette culture nouvelle. Très rares sont les Canadiens qui optent pour l'un des deux extrêmes, assimilation ou marginalisation, ne serait-ce, entre autres, qu'en raison de la durée limitée de leur séjour à l'étranger (en général deux à trois ans).

L'existence du « ghetto canadien » pose un dilemme aux responsables de la sélection des conseillers internationaux. D'une part, la communauté des expatriés à l'étranger offre un point d'ancrage aux Canadiens, les aidant à minimiser leur stress et facilitant leur adaptation. (Ceci explique en partie le haut degré de satisfaction dont font état les Canadiens à l'étranger, quel que soit leur rendement global.) Par contre, ce point d'ancrage offre une solution de rechange facile à ceux que rebute le défi d'établir des relations professionnelles constructives avec les ressortissants locaux. Effectivement, en se réfugiant dans le ghetto des expatriés, les Canadiens transforment un soutien moral en une barrière empêchant tout contact enrichissant avec les gens du pays et, ce faisant, ils échouent dans leur mission de transmettre connaissances et compétences.

Le rôle de la motivation, des attitudes et des attentes

Il n'est pas exagéré d'affirmer que la motivation constitue la clé de l'efficacité à l'étranger. Ceux qui sont allés à l'étranger enthousiastes et décidés à contribuer au processus de développement ont déclaré avoir tiré leurs plus grandes satisfactions de leur participation à ce processus, de la rencontre et de la fréquentation des ressortissants du pays et de leur intérêt pour la culture locale. On a par ailleurs constaté que ceux qui ont tiré une grande satisfaction de l'interaction culturelle étaient aussi jugés très efficaces, tant par leurs collègues que par les enquêteurs. L'engagement professionnel et le désir d'apporter sa contribution représentent une condition fondamentale de l'efficacité à l'étranger. À elles seules, les qualités interpersonnelles, ne suffisent pas à assurer des résultats valables.

On a longtemps estimé que des attentes réalistes avant le départ et le désir de s'intéresser à la culture du pays d'accueil étaient des gages non négligeables de réussite à l'étranger. Ces hypothèses ont été analysées au cours de cette étude et cela a donné lieu à d'intéressantes conclusions.

Comme prévu, et d'après leurs collègues, les conseillers qui, avant leur départ, avaient manifesté le désir de se familiariser avec la culture locale

participaient à celle-ci une fois à l'étranger et avaient un bien meilleur rendement dans leur travail.

Ceux qui disaient vouloir fréquenter les ressortissants locaux faisaient état d'un stress moins violent et d'une satisfaction plus intense et ils étaient davantage enclins à apprendre la langue du pays. De toute évidence, ceux qui, avant leur départ, manifestent le désir de mieux connaître la culture locale et d'y participer ont tendance à se lier avec le plus de gens possibles et sont jugés on en peut plus élogieusement par leurs collègues sur le plan de l'efficacité.

Or, fait surprenant, notre étude a révélé que ceux qui fondaient les attentes les plus réalistes avant leur départ ont eu tendance à bien moins réussir à s'adapter au pays, à prendre part à la vie culturelle locale, à faire preuve de compréhension, à être satisfaits et à être efficaces. Cela pourrait s'expliquer par le fait que notre test n'évaluait pas les attentes réalistes des interrogés mais plutôt leur attitude confiante avant leur départ quant à leur capacité à faire face à la transition. Dans ce cas, il est clair que les conseillers qui sont partis pleins de confiance ont eu un séjour plus gratifiant à l'étranger dans leur nouvel environnement. Par contre, on a constaté qu'un enthousiasme mitigé à l'idée de se rendre à l'étranger ou une appréhension excessive constituaient des éléments rédhibitoires en vue d'une bonne adaptation future à l'étranger.

Le rôle de la famille

L'examen du degré d'étroitesse des liens familiaux a donné des résultats ambigus. Comme on pouvait s'y attendre, les Canadiens qui étaient partis à l'étranger avec une famille unie ont subi moins de stress et davantage de satisfaction. Cependant, la présence d'une famille unie entrave les contacts avec la culture locale, contact qui, nous l'avons vu précédemment, favorise grandement le transfert des compétences. Cette constatation est étayée par le fait qu'à l'étranger, ceux qui n'ont pas d'enfants s'intéressent davantage à la culture locale que ceux qui en ont.

Il est bien connu qu'à l'étranger, les liens familiaux se resserrent ou se défont. Le stress de l'adaptation met durement à l'épreuve toutes les relations. Si un couple ou une famille manque d'intimité ou souffre d'un manque de communication avant leur départ, il y a peu de chances qu'ils s'adaptent bien à leur nouvel environnement. Il est très important de prendre cet élément en considération lors de l'embauche et de la sélection des futurs conseillers.

Les profils : la personne derrière les résultats

Cette étude révèle des résultats extrêmement intéressants en ce qui a trait à l'efficacité interculturelle, la sélection du personnel, l'adaptation et les théories culturelles et sociales. Mais qu'en est-il de la personne derrière ces résultats? Nous avons réussi à dégager un portrait-robot du conseiller canadien type et de sa conjointe, à partir d'entrevues que nous avons eues avec des conseillers, leurs conjoints, leurs collègues et leurs homologues des autres pays. Nous avons aussi découvert que la façon de se percevoir des individus est en général assez différente de la façon dont les autres les voient.

Profil du conseiller canadien

Le conseiller canadien type est un homme de 40 à 50 ans, né au Canada où il a passé au moins cinq années de son existence. Sa langue maternelle est l'anglais (47 %) ou le français (44 %) et il détient au moins un diplôme universitaire. Il est marié, et sa femme l'accompagne à l'étranger.

Le conseiller type est un spécialiste travaillant pour une entreprise canadienne privée, sous contrat avec l'ACDI. Il connaît bien le monde en développement; il a déjà été au moins une fois en poste à l'étranger et il a passé au moins deux ans dans un pays en développement. Pour les besoins de cette affectation, il travaille en milieu urbain et en équipe. Il travaille en collaboration directe avec un homologue ressortissant du pays d'accueil et occupe

LES PROFILS : LA PERSONNE DERRIÈRE LES RÉSULTATS

un poste administratif. À ses yeux, son rôle est consultatif et passe par la formation des autres et le transfert de connaissances et de compétences.

Le conseiller tel qu'il se perçoit

Notre conseiller perçoit son rôle, en fait, comme un rôle de conseiller, passant par la formation et le transfert des compétences et connaissances. De là, il aborde cette affectation avec assurance. Il s'intéresse beaucoup au pays d'accueil, et ses facultés d'adaptation ne lui causent aucune inquiétude. Il sait qu'il exercera bien ses fonctions et qu'il peut contribuer de façon non négligeable aux efforts de développement du pays. Au chapitre des qualités personnelles et des aptitudes à communiquer, il se sent supérieur à la moyenne. Et, s'il considère comme élevés son sens de l'aventure et son altruisme, il se préoccupe également de sa sécurité et de son avancement professionnel.

S'il accepte d'être affecté à l'étranger, c'est qu'il désire donner ou apprendre, ou encore les deux. Ses idées sur le développement sont plutôt conventionnelles, et il estime que le transfert de technologie est la clé qui assurera la prospérité économique des pays en développement et rétrécira l'écart entre pays riches et pays pauvres. Il ne voit pas pourquoi le monde industrialisé limiterait son train de vie, et il soutient la politique d'aide liée du Canada voulant que l'essentiel des montants de notre assistance soit consacré à l'achat de biens et de services canadiens.

Une fois en poste, notre conseiller s'estime très satisfait de sa vie privée, familiale et professionnelle, et il s'intéresse énormément à la culture locale. À son avis, il s'est adapté au nouveau pays sans gros heurts et sans choc culturel, et il apprécie davantage son existence à l'étranger que celle qu'il menait auparavant au Canada.

Au travail, il considère que son mandat est bien défini et bien compris et que ses collègues et lui-même ont très bien réussi à transmettre leurs connaissances et leurs compétences à leurs homologues du pays d'accueil. Si son statut et celui de son homologue diffèrent, il n'y voit pas une entrave à leurs rapports professionnels, et s'il trouve qu'il vit moins confortablement qu'au Canada, cela ne devrait, à son avis, nullement nuire au bon déroulement de sa tâche.

Tel qu'on le perçoit – une toute autre réalité

Les opinions et les attitudes décrites ci-dessous ne reflètent que la façon dont le conseiller se perçoit lui-même. Toutefois, les entrevues effectuées sur le terrain auprès des conjoints, des collègues et des homologues, de même que

LES PROFILS : LA PERSONNE DERRIÈRE LES RÉSULTATS

les constatations faites sur place par les chercheurs nous obligent à tracer un tableau différent et moins optimiste.

Selon tous ces gens, notre conseiller ne s'intéresse que très peu à la culture locale, préférant les loisirs et les mondanités en compagnie des autres Canadiens et expatriés. Il n'a guère fait d'efforts pour apprendre la langue du pays, et il y a peu de chances pour qu'il passe beaucoup de temps, en dehors des heures de travail, avec son homologue ou d'autres ressortissants locaux. Bien qu'il soit tout-à-fait capable de définir avec précision les facteurs-clés dont dépend le succès d'une affectation – dans son propre comportement – il fait nettement moins preuve des capacités et des intérêts requis.

Le point de vue des nationaux

Généralement, les ressortissants nationaux font preuve d'une sincère ouverture d'esprit vis-à-vis des Canadiens désireux de les aider dans le développement de leur pays. Les interviews effectuées auprès de 136 ressortissants de 18 pays ont montré que ceux-ci souhaitaient collaborer et apprendre avec les conseillers canadiens, mais aussi que ces derniers laissaient à désirer sur deux points importants :

*   la nature et la qualité des relations professionnelles et extra-professionnelles entre le conseiller et les ressortissants nationaux,
*   la capacité du conseiller à transmettre efficacement ses connaissances et ses compétences.

> **« Au Ghana, on ne travaille pas comme au Canada. Au lieu d'essayer seulement d'inculquer des connaissances, les Canadiens devraient d'abord s'adapter aux méthodes locales, avant d'envisager de les améliorer ou de les changer. Les Canadiens ont tendance à avoir des idées préconçues et ne se renseignent pas auprès des gens d'ici sur le fonctionnement des choses. Au fond d'eux-mêmes, ils ne font pas confiance aux aptitudes de leurs homologues ghanéens. »** *(Un homologue ghanéen)*

On a, le plus souvent, mis le mauvais transfert des compétences sur le compte de communications et de relations humaines médiocres. Les ressortissants locaux ont cité le travail en équipe, le respect et le dévouement du conseiller comme des conditions indispensables au transfert des compétences, et ils ont bien insisté sur le besoin, pour le conseiller, de connaître la culture et la langue du pays. Bon nombre de ressortissants locaux ont déploré le manque de communication et de réceptivité ainsi que le manque de reconnaissance

LES PROFILS : LA PERSONNE DERRIÈRE LES RÉSULTATS

de leurs propres aptitudes et capacités. Selon eux, trop de Canadiens traitaient leurs homologues comme des subordonnés et non comme des égaux, et ils se sentaient exclus des prises de décisions.

> « Les Canadiens devraient avoir envie de connaître les gens sur le plan personnel. Vous devez essayer de connaître votre homologue, de le comprendre, de partager les idées et de faire des choses avec lui. Il faut respecter et utiliser l'expérience du ressortissant local. Ayez des rapports plus personnels et ne pensez pas que tout vous est dû. » *(Un homologue indonésien)*

On a souvent reproché au conseiller canadien de se conduire en « touriste » qui vient visiter le pays mais n'a guère de contacts avec les gens du pays et leur culture. On a bien insisté sur la nécessité de prendre part à la vie culturelle, et le fait d'apprendre la langue était considéré comme une marque de respect, indiquant un désir de participation.

> « Les Canadiens arrivent ici armés du désir de se rendre utiles, mais il leur faudrait se lier avec les gens du pays. Ils ne devraient pas hésiter à mettre la main à la pâte, surtout lorsqu'il y a une barrière linguistique. Les Canadiens devraient prendre le temps de connaître les gens et leurs problèmes. » *(Un homologue zaïrois)*

Les ressortissants locaux étaient généralement satisfaits de la compétence professionnelle de leurs homologues canadiens; les conseillers ont rarement été critiqués sur le plan de la compétence technique. On a cependant trouvé que

LES PROFILS : LA PERSONNE DERRIÈRE LES RÉSULTATS

leurs capacités pédagogiques étaient Insuffisantes pour leur permettre de communiquer efficacement leurs connaissances et leurs compétences. On a insisté pour que les conseillers soient capables d'enseigner et de partager leurs connaissances avec leurs homologues plutôt que de se limiter à des rapports de supérieur à subordonné.

> « Il faut que les Canadiens veuillent travailler avec les Tanzaniens; ils doivent se montrer respectueux, ils doivent savoir bien communiquer et transmettre leurs connaissances; ils doivent être bons professeurs. Il faut qu'ils mettent la main à la pâte, au lieu de seulement donner des directives. Nous préférerions voir ces conseillers venir nous encourager à nous suffire à nous-mêmes. » *(Un homologue tanzanien)*

Les gouvernements des divers pays ont clairement manifesté leur ferme intention de contrôler leur propre développement. Ils ont des idées bien précises de ce qu'ils attendent des pays donateurs et de leurs conseillers, et Ils ne sont plus disposés, désormais, à accepter n'importe quoi de notre part. Ils ont leurs propres exigences en ce qui concerne le genre de conseillers dont ils ont besoin, et ils se sont mis à formuler avec plus d'insistance ce qu'ils attendaient.

Les ressortissants de ces pays sont à peu près tous d'accord sur ce qui fait un bon conseiller. Voici quelques-unes des qualités requises :

*   être prêt à traiter ses homologues sur un pied d'égalité, à leur parler comme à des égaux et à partager avec eux son bureau et ses fonctions;
*   être prêt à consacrer du temps à ses homologues, au cours et en dehors du travail, à s'efforcer de les connaître, eux et leur famille;
*   montrer de l'intérêt pour la culture de l'homologue et s'efforcer d'apprendre la langue du pays;
*   ne pas se limiter au domaine du travail;
*   ne pas s'occuper des différences raciales ou de statuts.

> « Nous possédons une solide équipe formée de Canadiens et d'Égyptiens. La coopération et les échanges entre les deux groupes sont excellents. Les Canadiens travaillent en tant qu'Égyptiens et non en tant que Canadiens, et on ne les entend pas dire : < Au Canada, c'est comme ça que l'on fait. > L'amitié qui règne entre les Égyptiens et les Canadiens a beaucoup contribué à l'efficacité du transfert des connaissances. » *(Un homologue égyptien)*

LES PROFILS : LA PERSONNE DERRIÈRE LES RÉSULTATS

Les conjoints

Dans le cadre de la présente étude, les enquêteurs ont interviewé 146 conjoints – 136 femmes et 10 hommes – sur le terrain, afin de définir la situation que ceux-ci devaient affronter à l'étranger et comprendre quels points étaient particulièrement importants pour eux. Parmi les personnes interrogées, 30 % seulement ont déclaré travailler en dehors de la maison, soit comme bénévoles, soit comme employés salariés.

Les conjoints accompagnant un conseiller dans son affectation à l'étranger sont confrontés à des problèmes dans les quatre principaux domaines suivants :
- adaptation à la nouvelle culture,
- sentiment d'isolement et de dépendance,
- occasions professionnelles perdues,
- tension accrue dans les rapports matrimoniaux et familiaux.

Tandis que la plupart des Canadiens à l'étranger subissent le choc culturel, leurs conjoints doivent en plus faire face à d'autres difficultés lorsqu'il s'agit de s'adapter à un nouveau contexte. C'est au conjoint qu'incombe généralement la responsabilité d'arranger la maison et d'installer la famille, pendant. que le conseiller est pris par son nouveau travail et que ses enfants vont à leur nouvelle école. Alors que ce travail et cette école constituent, en quelque sorte, un prolongement de la vie au Canada, le conjoint, lui, en dehors de sa famille, doit souvent affronter tout un monde inconnu. Les tâches que constituent l'installation (logement, déballage, achats), l'adaptation difficile des enfants, l'établissement des liens avec la domesti-cité, la perte d'une certaine intimité ou l'insertion dans la communauté des expatriés incombent toutes au conjoint. Quant à son compagnon, qui doit se concentrer sur son nouvel emploi, il est rare qu'il soit d'une grande assistance en ces domaines.

De nombreux conjoints se sentent isolés, coupés de tous leurs repères familiers. Les conseillers travaillent souvent de longues heures et sont amenés à voyager, laissant ainsi seul leur conjoint. Ce dernier, coupé de sa famille et de ses amis, souvent incapable de communiquer avec le monde extérieur, finit par éprouver une profonde solitude. Sa méconnaissance de la langue du pays lui rend compliqué ce qui n'était que simple routine auparavant, y compris les emplettes ou les conversations téléphoniques. Quant aux tâches familiales, c'est le person-nel domestique qui s'en charge. Ce sentiment de solitude est encore renforcé par le manque de moyens de transport, de distractions et de ressources d'ordre culturel. Du même coup, il se sent moins autonome, ayant la sensation de dépendre davantage de son conjoint conseiller, tant sur le plan financier qu'émotif.

LES PROFILS : LA PERSONNE DERRIÈRE LES RÉSULTATS

« Cette affectation a eu un effet extrêmement négatif. Tandis que mon mari était complètement pris par son travail, j'avais l'impression d'être délaissée, ce qui me faisait me sentir seule et déprimée. De plus, il n'y a ici aucun groupe pour vous apporter son soutien moral ». *(Une épouse en Indonésie)*

Les conjoints qui interrompent une carrière pour se rendre à l'étranger éprouvent en plus une certaine amertume en raison de ces occasions perdues sur le plan professionnel. L'absence de débouchés à l'étranger force le conjoint à mettre en veilleuse ses projets de travail, ce qui accentue son sentiment de solitude et de dépendance tout en engendrant un nouveau stress – celui de gérer un temps libre qui n'en finit pas. Nombreux sont ceux auxquels manquent les défis et les satisfactions liés à un emploi, et qui envisagent avec appréhension le moment où, de retour au Canada, ils devront se remettre à travailler.

« Les attentes des conjoints doivent être prises très au sérieux. Ceux qui ont des enfants et pas envie de travailler trouvent l'existence ici très agréable. Mais ceux qui n'ont ni enfants ni travail la trouvent très dure. Une affectation peut causer un tort incroyable à un couple et à un conjoint. » *(Un conjoint au Ghana)*

Une affectation à l'étranger peut également accentuer les tensions qui règnent au sein d'une famille. La mauvaise communication et les problèmes qui existent déjà sont souvent amplifiés par les rigueurs de la vie à l'étranger et exacerbés par l'absence d'amis ou d'une famille auprès desquels il serait possible de trouver un soutien. Il est indispensable, pour sa survie, qu'une famille soit unie et que ses membres communiquent bien entre eux. Une affectation est parfois une menace pour l'union conjugale.

« Il faut, avant toute chose, évaluer la solidité de la famille. Elle sera mise à l'épreuve! On peut toujours apprendre à se passer de ketchup. » *(Un conjoint au Pakistan)*

Il faut quand même noter que, dans la plupart des cas, le séjour à l'étranger aura eu tendance à resserrer les liens familiaux. Les membres d'une famille qui devaient compter plus les uns sur les autres ont vu leur intimité et leurs communications s'améliorer. Les conjoints se rapprochaient l'un de l'autre, car ils vivaient ensemble une expérience plus profonde et plus suivie. Comme

LES PROFILS : LA PERSONNE DERRIÈRE LES RÉSULTATS

l'a affirmé un conjoint : « Ce fut bon pour notre couple car nous nous sommes mutuellement redécouverts ».

> **« J'ai adoré découvrir des choses sur cette autre culture, sur la profondeur et la richesse d'un pays aussi différent, et cela a été extrêmement gratifiant pour moi d'apprendre la langue. »** *(Un conjoint en Haïti)*

Des conjoints ont également fait état d'autres résultats positifs. En tout premier lieu, ils étaient exposés à une interaction culturelle Ils ont apprécié de pouvoir se renseigner sur une nouvelle culture, sur ses coutumes et ses valeurs, de rencontrer des gens nouveaux et d'apprendre une nouvelle langue. Ils ont aussi trouvé qu'ils bénéficiaient d'un agréable train de vie à l'étranger, une fois passée la période d'acclimatation. Ils appréciaient la douceur du climat, leur grande maison et son personnel domestique, ainsi que les occasions de voyager.

> **« Ne comptez que sur vous-même; faites et découvrez les choses par vous-même. Il est utile d'avoir une certaine confiance en soi, de bien savoir qui l'on est et de pouvoir compter un minimum sur soi-même. »** *(Un conjoint à la Barbade)*

À l'étranger, le conjoint peut aussi bien constituer une entrave qu'un atout pour l'efficacité du conseiller. C'est pourquoi on devrait l'interroger, lui aussi, dans le cadre de la sélection psychologique pour les affectations outre-mer. Les qualités exigées d'un conjoint, pour qu'il s'adapte bien et soit utile à l'étranger, sont foncièrement les mêmes que celles exigées précédemment d'un conseiller efficace. Toutefois, chez un conjoint, les plus indispensables qualités susceptibles de garantir de bons résultats à l'étranger sont :
- une existence active (ce qui implique initiative, confiance en soi et franchise),
- la capacité de mettre temporairement en veilleuse ses exigences et ses aspirations professionnelles,
- un véritable désir de connaître et de vivre une nouvelle culture.

Une fois à l'étranger, le conjoint devra se montrer capable de se prendre en charge et de trouver les moyens qui lui permettront de s'épanouir.

> **« Vous devez vous dire que vous allez en tirer profit et que vous pouvez vous rendre utile d'une certaine façon. Il faut que vous ayez envie de venir en aide aux gens. »** *(Un conjoint au Sénégal)*

RECOMMANDATIONS

Il serait raisonnable aujourd'hui de remettre en question la pertinence des premières recherches de 1990. Toutefois, il ne fait aucun doute que ces constatations sont toujours valables. Les études et les pratiques interculturelles confirment que le personnel affecté à l'étranger, y compris les conjoints et les familles, éprouvent de nombreuses difficultés similaires et doivent relever les mêmes défis que ceux dont on a fait état dans ce rapport. Les personnes qui réussiront dans une autre culture devront posséder bien des aptitudes et des traits de caractère recensés dans cette étude et autres travaux de recherche connexes.

Deuxièmement, on constate que les résultats de l'étude s'appliquent à un éventail plus large d'expatriés

> Le personnel et les travailleurs bénévoles des sociétés internationales doivent relever des défis très similaires et posséder les mêmes compétences interculturelles.

RECOMMANDATIONS

que les seuls conseillers canadiens en développement, le groupe cible de cette étude. Dix ans d'expérience à conseiller et à consulter des entreprises internationales (tant privées que bénévoles, en Europe et en Amérique du Nord) ont conduit l'auteur à conclure que, dans l'ensemble, le personnel et les travailleurs bénévoles des sociétés internationales doivent relever des défis très similaires et posséder les mêmes compétences interculturelles s'ils veulent être en mesure de travailler avec efficacité dans n'importe quelle culture. Des publications de plus en plus nombreuses de travaux de recherches viennent également corroborer cet argument.[18]

Troisièmement, les études publiées ces dix dernières années, dont la majorité a été réalisée dans le domaine du commerce international et de la gestion internationale des affaires, avancent que les compétences et les connaissances interculturelles sont plus indispensables que jamais si les entreprises entendent soutenir la concurrence sur le marché mondial. Après avoir étudié la gestion des expatriés de 750 entreprises américaines, européennes et japonaises, Black and Gregersen en a conclu que « dans l'économie mondiale d'aujourd'hui, avoir du personnel à l'aise dans n'importe quelle culture n'est pas un luxe. C'est une nécessité concurrentielle. »[19]

Au vu de la pertinence et de l'importance continues des résultats de recherche présentés dans ce rapport, les recommandations qui suivent sont présentées dans l'espoir d'améliorer le mécanisme par lequel on sélectionne, forme et évalue le personnel outre-mer (y compris les conjoints et compagnons) pour s'assurer de sa capacité à vivre et à travailler dans une autre culture. Ces recommandations prennent également en compte les nouvelles tendances constatées récemment qui sont abordées dans la nouvelle introduction de ce rapport.

---

18 Tung R.L. et Worm V. (1997). « East meets West: North European Expatriates in China ». *Business and the Contemporary World*, Vol. IX,137-148.
  Black J.S., Morrison A.J., et Gregersen H.B. (1999). *Global Explorers: The Next Generation*. (Routledge)
19 Black J.S. et Gregersen H.B. (1999). « The Right Way to Manage Expats ». *Harvard Business Review*, Mars-Avril,52-62.

Évaluer la capacité à assumer une affectation à l'étranger : importance de l'auto-sélection

Discussion

Trop de gens se rendent à l'étranger sans avoir convenablement pesé le pour et le contre. Plus particulièrement, les couples qui souvent, ne prennent pas une décision conjointe quant à savoir s'il doivent accepter ou non l'affectation. Tant le conseiller que son conjoint/compagnon doivent avoir la volonté d'entreprendre la mission si l'expatrié, le couple et la famille veulent s'adapter efficacement à leur nouvel environnement.

Il est indispensable que les conjoints/compagnons réfléchissent soigneusement aux motivations et aux espérances qui les poussent à partir en affectation à l'étranger. Il est tout particulièrement important qu'ils aient leurs propres objectifs, qu'ils soient prêts à mettre en veilleuse leurs propres ambitions professionnelles et qu'ils envisagent leur vie dans une nouvelle culture avec optimisme et même enthousiasme. Si l'affectation concerne également des adolescents, il est important que leurs inquiétudes soient prises en compte et qu'ils soient désireux d'entreprendre cette aventure outre-mer aux côtés de leur famille.

Recommandation

Savoir prendre une décision éclairée relève d'une meilleure pratique

Il est recommandé de mettre en place des mécanismes permettant aux personnes de prendre une décision éclairée quant à savoir s'il s'agit du bon moment d'accepter une affectation à l'étranger. Voici quelques moyens d'aider des personnes ou des familles à évaluer leur propre capacité à gérer une affectation outre-mer :

- des séances d'information sur les conditions de vie et de travail au sein de la nouvelle culture et exigences du travail,
- une visite dans le pays du candidat, du conjoint et des enfants plus âgés (8 ans et plus)
- une réflexion sur les résultats de l'évaluation à partir d'un instrument tel que l'inventaire des compétences interculturelles pour vivre et travailler à l'étranger (ICI).

Évaluer la compétence interculturelle : le processus de sélection

Discussion

Le principe des preuves convergentes doit être à la base d'un processus fiable de sélection des candidats à une affectation à l'étranger. Cela signifie tout simplement que plus les sources d'information sur un candidat seront différentes et multiples, plus la décision quant au choix du candidat sera fiable. Par conséquent, il est très peu judicieux de n'utiliser qu'une source d'information pour sélectionner les candidats à une affectation à l'étranger, en s'appuyant sur l'entrevue traditionnelle pour évaluer les connaissances, les compétences et la capacité à assumer une affectation à l'étranger.

Cette étude a contribué à essayer et à élaborer des outils permettant d'évaluer les compétences interculturelles et la capacité du personnel à assumer une affectation. De plus, les résultats de recherche indiquent que tout séjour antérieur à l'étranger, même si l'adaptation a été plus facile, ne contribuait pas à de plus hauts niveaux d'efficacité.

Il est nécessaire d'évaluer les personnes (y compris les conjoints/compagnons) par rapport à leurs compétences et connaissances interculturelles. Bien que l'évaluation du conjoint/compagnon ne soit pas une pratique courante, il est bien connu (et cette étude le confirme) que le succès ou l'échec d'une affectation à l'étranger dépend de l'adaptation du conjoint et de la famille du conseiller. Des sujets de recherche ont également démontré que la sélection des chefs d'équipe ou des gestionnaires de projets jouait un rôle tout aussi essentiel. L'étude a déterminé certaines compétences et connaissances particulières que les conjoints/compagnons et les chefs d'équipe/gestionnaires de projet devaient posséder.

Recommandations

L'efficacité potentielle, non la survie, comme but de la sélection

Il est recommandé que les recruteurs du personnel outre-mer ne fassent pas d'un séjour antérieur à l'étranger un critère d'affectation à un poste à l'étranger, quel qu'il soit. Les candidats à des affectations à l'étranger doivent être évalués non seulement sur leur faculté à s'adapter personnellement à leur nouvel environnement, mais également sur leur faculté à travailler efficacement dans cette nouvelle culture.

Utilisation d'un outil de sélection pour les affectations à l'étranger

Il est recommandé d'utiliser un outil de sélection du personnel outre-mer tel que l'inventaire des compétences interculturelles pour vivre et travailler à l'étranger (ICI), corrélativement à une entrevue axée sur le comportement et à des contrôles de références où l'on évalue le comportement d'une personne afin d'estimer sa compétence interculturelle et sa capacité à assumer une affectation. Pour déterminer les forces et les faiblesses d'une personne, l'ICI peut servir à mieux cibler l'entrevue et les contrôles de référence, deux éléments qui devraient avoir pour but de rassembler des preuves liées au comportement de la personne attestant de sa capacité à démontrer des compétences et des connaissances interculturelles.

Sélection des conjoints/ compagnons pour dégager des caractéristiques importantes

En évaluant la volonté et l'aptitude du conjoint/compagnon à réussir son affectation à l'étranger, il est recommandé de l'évaluer soigneusement sur les caractéristiques suivantes : esprit d'initiative, habileté à se débrouiller, intérêt dans d'autres cultures, volonté de mettre sa carrière en veilleuse. On a constaté que ces caractéristiques étaient très importantes si l'on voulait que l'affectation ait un dénouement heureux.

Les chefs d'équipe doivent démontrer des compétences spéciales

En sélectionnant des candidats pour assumer des postes de chefs d'équipes ou de gestionnaires de projet, il est recommandé de les évaluer soigneusement par rapport aux compétences suivantes : capacité à nouer des liens, diplomatie, habiletés de négociation, souplesse, volonté et aptitude à former des conseillers débutants et des conjoints, capacité à préciser les rôles et les responsabilités de tous les membres de l'équipe, aptitude à inspirer le respect tant des Canadiens que des ressortissants locaux et habiletés de communication interculturelle. Ces caractéristiques ont été définies comme étant essentielles au style de comportement d'un chef d'équipe.

Relier les résultats de l'évaluation au perfectionnement professionnel

Il est recommandé de relier les résultats du processus de sélection à la formation et à la préparation à assumer un poste à l'étranger. Essentiellement, les résultats de l'évaluation peuvent permettre de déterminer des « lacunes » dans les connaissances et les compétences des candidats ou de leur famille, les empêchant d'être pleinement efficaces dans une autre culture. De cette manière, le mécanisme de sélection du personnel à l'étranger peut être utilisé comme analyse des besoins pour concevoir un mécanisme de formation et de préparation à une autre culture efficace.

Formation et préparation en vue d'une affectation à l'étranger

Discussion

Les résultats de cette étude indiquent que même si la majorité des Canadiens (75 %) sont très satisfaits de leur style de vie à l'étranger, très peu (20 %) sont pleinement efficaces sur le plan professionnel. D'autres études sur les expatriés font état de résultats similaires.

Cette étude a également mis en évidence le fait que quelques-uns des conseillers et des conjoints/compagnons les plus efficaces avaient, au départ, éprouvé des difficultés à s'adapter à la nouvelle culture et à gérer le choc culturel.

Le manque de communication et de compréhension entre les conseillers canadiens et leurs homologues locaux a causé des problèmes dans la plupart des pays bénéficiaires d'une aide au développement. Ces deux lacunes ont été soulignées par bon nombre d'homologues locaux au cours de l'étude. Il faut donc supprimer les obstacles interculturels et interpersonnels si l'on tient à assurer un transfert efficace des connaissances et des compétences. Cet aspect est important pour tous les échanges internationaux. La nombreuse documentation évaluant les réussites et les échecs de coentreprises internationales a identifié les malentendus interculturels comme une des principales causes d'échecs.

Recommandations

Former les conseillers à être efficaces

On devrait davantage s'attacher à former les personnes à être efficaces, en soulignant les réalités et les difficultés du travail à l'étranger et en leur expliquant comment établir des relations de travail efficaces avec leurs collègues locaux. De tout temps, les programmes d'information de pré-départ ont toujours eu pour objectif d'aider les conseillers et leur famille à faire face à leur nouvel environnement et à s'adapter. Pour être efficace dans une autre culture, il faut bien plus qu'une adaptation réussie et des habiletés techniques. Il est nécessaire, d'une part, de mettre en place une formation axée sur les aptitudes interculturelles pour renforcer la compétence interculturelle et, d'autre part, d'accorder une plus grande importance à la formation linguistique – l'apprentissage et l'utilisation

de la langue locale constituent un atout considérable pour établir des relations et s'attirer la confiance et le respect.

Encourager la participation à la culture locale et fournir un appui pour faciliter l'adaptation

Les personnes chargées de recruter les conseillers et de les former en vue de leur affectation à l'étranger doivent changer d'attitude face au choc culturel. Au lieu de réagir de façon négative, elles devraient se rendre compte que le choc culturel constitue souvent un élément inévitable d'un processus d'adaptation culturelle réussi et qu'une forte proportion de ceux qui se montreront les plus efficaces à l'étranger éprouveront au début un choc culturel considérable. La formation pré-départ devrait inclure un cours sur la manière de faire face au nouvel environnement. Il faudrait mettre en place des structures de soutien dans les pays d'affectation pour aider les expatriés à s'adapter ainsi qu'à s'intéresser à la culture étrangère et à mieux la connaître. Des services d'appui dans le pays devraient permettre de reconnaître les problèmes particuliers que doivent surmonter les conjoints et les enfants et aborder leurs besoins spécifiques.

Prévoir une formation conjointe entre expatriés et homologues locaux

Le personnel clé de l'institution hôte et le personnel expatrié reçu devraient entreprendre conjointement une formation en gestion et communication interculturelles pour les aider à forger, dès le début, un environnement de compréhension et de respect mutuels.

Évaluation du rendement

Discussion

Les résultats de cette étude indiquent que l'évaluation du rendement du personnel affecté à l'étranger n'est pas une pratique courante, que ce soit sur le plan personnel ou professionnel. La principale préoccupation des institutions envoyant du personnel à l'étranger est double. D'une part, en ce qui concerne l'expatrié canadien, on a tendance à définir la réussite comme l'aptitude à rester en poste pendant toute la durée de l'affectation et à ne pas trop se plaindre. D'autre part, en ce qui concerne le travail, on met d'abord l'accent sur les résultats matériels ou les produits livrables tangibles. Par conséquent, on se soucie peu de savoir si le conseiller réussit à nouer des relations, à apprendre la langue du pays, à former le personnel, etc.

Recommandation

Surveiller la performance interculturelle

Les institutions d'origine devraient s'intéresser autant au processus qu'à l'attribution d'objectifs et devraient surveiller et mesurer les performances interculturelles du personnel expatrié. La récente publication du *Profil de la personne efficace sur le plan interculturel*[20] axé sur le comportement, présente des normes claires permettant de mesurer la capacité interculturelle des personnes à vivre et à travailler dans une autre culture.

---

20 Vulpe, T., Kealey, D.J., Protheroe, D.P. et MacDonald, D. (2000) *Profil de la personne efficace sur le plan interculturel*. Hull, Québec : Centre d'apprentissage interculturel, Institut canadien du service extérieur.

Développement des capacités

Discussion

Les résultats de cette recherche permettraient d'arguer que tant les entreprises axées sur le développement que celles axées sur le commerce exerçant leurs activités à l'étranger, doivent relever le défi de renforcer les capacités locales et de mettre à jour les compétences du personnel local. Le transfert des compétences et des connaissances, un objectif traditionnel des projets d'assistance technique, constitue également un aspect important d'un grand nombre, sinon de la majorité, des coentreprises internationales. Les compétences interculturelles décrites dans cette recherche sont celles qui ont trait à un transfert des compétences et des connaissances réussi.

Recommandation

Recruter du personnel possédant des compétences interculturelles

Tous les organismes travaillant à l'étranger et devant renforcer les capacités locales sur le plan des ressources humaines doivent recruter du personnel compétent sur le plan interculturel et consacrer plus d'efforts à l'élaboration de meilleures stratégies de transfert des compétences et des connaissances.

RECOMMANDATIONS

Affectations à court terme contre affectations à long terme

Discussion

La présente étude s'est appuyée sur un échantillon d'employés affectés à l'étranger à long terme (pour une durée de 2-3 ans). Des tendances récentes, tant sur le plan du développement que des affaires, indiquent un recours accru à du personnel affecté à court terme (six mois au moins). Une question importante concerne la pertinence de ces résultats de recherche pour le personnel affecté à court terme. Étant donné que les travaux de recherche axés sur les expatriés se focalisent sur les personnes affectées à long terme, on ne sait pas dans quelle mesure ces résultats sont également valables pour le personnel affecté à court terme. Toutefois, on peut affirmer que les aptitudes décrites dans cette étude s'appliquent très vraisemblablement aux employés affectés à court terme, et sont peut-être même plus importantes dans leur cas, étant donné qu'ils ont moins le temps d'apprendre à être efficaces sur le plan interculturel et peuvent difficilement se permettre de commettre des erreurs.

Recommandation

Nécessité d'effectuer des recherches sur le personnel affecté à court terme

Il est recommandé d'entreprendre des recherches pour mieux comprendre le défi interculturel que doit relever le personnel affecté à court terme et déterminer les compétences requises pour être efficace dans le cadre d'une affectation à l'étranger.

Les femmes en tant que conseillères en développement et gestionnaires à l'étranger

Discussion

Les résultats de la présente étude laissent clairement entendre que les femmes seraient très efficaces à des postes à l'étranger. À dire vrai, on a pu constater que les femmes étaient nettement mieux notées que les hommes pour bon nombre de capacités et de comportements associés à l'efficacité à l'étranger. Pourtant, jusqu'à présent, les postes de conseillers techniques à l'étranger demeuraient le bastion des professionnels techniques, des hommes dans leur majorité. Il y a de plus en plus de raisons de penser que le nombre de femmes prenant l'initiative d'une affectation à l'étranger, va maintenant en s'accroissant. Par conséquent, un nombre croissant d'hommes accompagnent désormais leur conjointe ou compagne. Actuellement, on effectue peu de recherches, sinon aucune, sur les défis qui se posent aux hommes assumant ce rôle.

Recommandation

Nécessité d'effectuer des recherches sur les hommes accompagnant leur conjointe

Il est recommandé d'entreprendre des recherches pour analyser les expériences des hommes accompagnant leur conjointe/ compagne, afin d'évaluer leur capacité d'adaptation et déterminer les défis particuliers qu'ils doivent relever ainsi que les habiletés clés qu'ils doivent posséder s'ils veulent réussir à s'adapter efficacement.

RECOMMANDATIONS

La réalité d'Internet

Discussion

Une utilisation accrue d'Internet en tant qu'outil de communication aide-t-elle ou entrave-t-elle la faculté d'une personne à être efficace sur le plan interculturel? Être capable de rester en contact très facilement avec des amis et des collègues « au pays » peut atténuer les effets du choc culturel, permettant ainsi de faire face plus facilement à un nouvel environnement. D'un autre côté, entretenir des relations intensives avec des gens de sa propre culture peut vouloir dire qu'on veut éviter le défi d'établir des liens personnels et professionnels dans la culture d'accueil, une démarche absolument essentielle si l'on veut devenir efficace dans un nouvel environnement.

Recommandation

Nécessité d'effectuer des recherches sur l'impact d'Internet

Il est recommandé d'entreprendre des recherches pour évaluer l'impact d'Internet sur l'adaptation et l'efficacité globales des gestionnaires et des conseillers à l'étranger.

POST-SCRIPTUM

Des recherches judicieuses peuvent et vont contribuer de manière considérable à améliorer le développement, la diplomatie et les affaires au niveau international.

Lorsque je considère ces résultats de recherche ainsi que mes recherches antérieures à 1990, je reconnais que, ces vingt-cinq dernières années, une grande partie de mes travaux a été principalement axée autour de deux questions principales. Tout d'abord, dans mes premiers travaux de recherche, je me suis attaché à essayer de répondre la question : **Que faut-il faire pour être efficace dans une autre culture?** Étant donné que moi-même et d'autres chercheurs, plus particulièrement dans les années 1970 et 1980, ont répondu à cette question en établissant des profils empiriques de réussite interculturelle, une seconde question est alors venue dominer mes travaux de recherche. Cette question était liée au fait de savoir si nous pouvions ou non déterminer ou élaborer des outils capables de prédire la capacité d'une personne à réussir à vivre et à travailler efficacement dans une autre culture. À mon avis, les travaux de recherche mentionnés dans la présente étude ont considérablement contribué à y répondre. Depuis la publication de ces résultats de recherche, j'ai pu modifier et élaborer plus avant un des principaux instruments de sélection essayé dans le cadre de ce projet de recherche, *l'inventaire des compétences interculturelles pour vivre et travailler à l'étranger (ICI)*. Cet instrument a été modifié pour s'adapter au contexte du personnel commercial à l'étranger

ainsi qu'aux conseillers en développement à l'étranger. Ces dix dernières années, il a été utilisé et essayé par des entreprises et des organismes de développement tant en Amérique du Nord qu'en Europe.

Et quel usage ont-ils fait de ce test? L'utilisation de l'ICI, associée à une procédure d'entrevue axée sur le comportement, a aidé une entreprise à réduire son taux de retour prématuré de 15 % à moins de 1 %. Une autre grande institution bancaire internationale a utilisé l'ICI pour effectuer la présélection et l'organisation des carrières du personnel. En voulant former un groupe de gestionnaires expérimentés et possédant des aptitudes interculturelles, cette institution a utilisé l'ICI pour évaluer le niveau de compétence interculturelle d'une personne et sa capacité à assumer une affectation à l'étranger. Les résultats de l'ICI ont été ensuite utilisés pour guider la conception de plans individuels visant à perfectionner les compétences interculturelles des candidats et à les préparer à de futures affectations à l'étranger. D'autres entreprises ont utilisé l'ICI principalement en tant qu'outil de sélection pour aider à évaluer le risque inhérent à l'affectation d'une personne et de sa famille. De cette manière, l'ICI aide les gestionnaires à mieux établir si un candidat particulier est prêt à faire face aux défis que pose une affectation à l'étranger.

Pour finir, permettez-moi de conclure en faisant remarquer qu'une nouvelle question, une troisième interrogation, dirige les intérêts de mes collègues et mes propres intérêts en matière de recherche. Cette question est la suivante : **Pouvons-nous déterminer et décrire de manière plus précise le comportement réel des personnes efficaces sur le plan interculturel?** Bien que le profil d'un bon conseiller en assistance technique tel que déterminé dans la présente étude reste utile et valable, il nous faut encore décrire plus précisément ce que les gens efficaces sur le plan interculturel font réellement. En d'autres termes, de quelle façon une personne démontre-t-elle qu'elle est efficace sur le plan interculturel? À quoi ressemble un comportement efficace sur le plan interculturel ?

La publication du *Profil de la personne efficace sur le plan interculturel* (PEI) nous fournit désormais une description détaillée et exhaustive du comportement affiché par des personnes efficaces sur le plan interculturel. Dans les mois à venir, les auteurs ont l'intention de produire une série de manuels s'appuyant sur l'ICI et le PEI afin de servir d'outils supplémentaires pour sélectionner, former et évaluer le personnel expatrié. À titre d'exemple, un *Guide for Intercultural Behaviour-Based Interviewing* (guide des entrevues axées sur le comportement) sera conçu

en vue d'aider les interrogateurs à effectuer une évaluation plus complète des candidats à partir des caractéristiques de l'ICI et des capacités comportementales décrites dans le PEI. En outre, la *liste de vérification des comportements interpersonnels*, qui est un outil conçu pour cette étude, sera révisée pour s'aligner directement sur l'ICI et le PEI. L'objectif serait de faire remplir cette liste de contrôle aux personnes fournissant des références pour les candidats, en leur demandant de noter la compétence de la personne au niveau de son comportement plutôt que de simplement fournir la traditionnelle lettre de référence. D'autres outils sont à l'étude tels qu'un *Intercultural Performance Evaluation Index (indice d'évaluation des performances interculturelles)* et un *Guide for Developing Intercultural Skills and Knowledge* (guide de perfectionnement des compétences et des connaissances interculturelles). Le premier pourrait être utilisé dans le cadre d'un processus d'évaluation global et le dernier constituerait un guide d'autoperfectionnement pour quiconque désirerait perfectionner ses compétences interculturelles et être mieux préparé à une affectation à l'étranger.

Beaucoup de chemin a été parcouru depuis la publication originale de cette étude et beaucoup reste encore à parcourir. Il est évident,

cependant, que des recherches judicieuses peuvent et vont contribuer de manière considérable à améliorer le développement, la diplomatie et les affaires au niveau international.

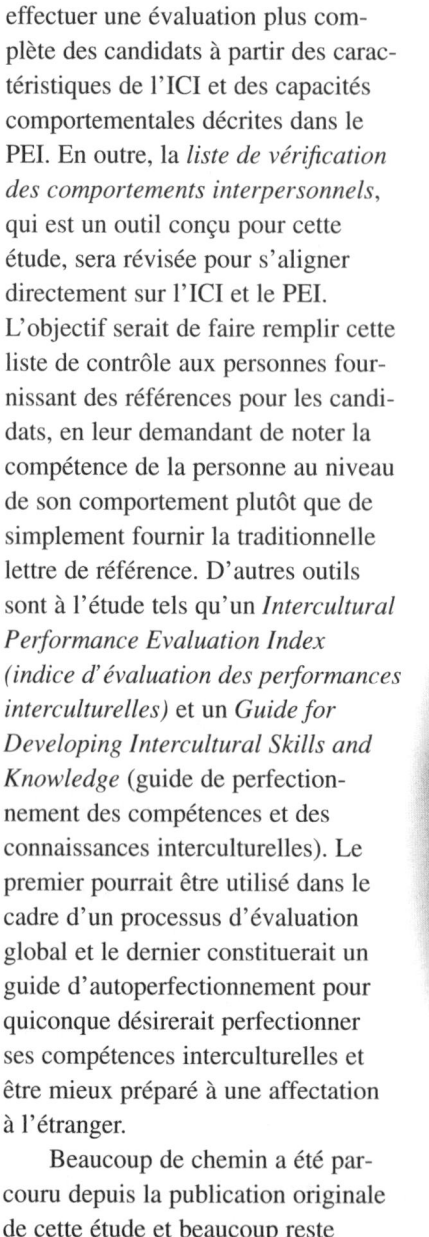

SURVOL DES PRINCIPAUX RÉSULTATS DE CETTE ÉTUDE

▶ Cette étude à permis d'établir une nouvelle théorie clarifiant la relation entre les variables explicatives du stress d'acculturation (choc culturel) et l'efficacité à l'étranger. Les personnes jugées par leurs pairs comme étant les plus efficaces à l'étranger ont aussi probablement subi le plus haut degré de choc culturel au cours de la période de transition. (p. 46)

▶ L'adaptation et l'efficacité professionnelle dans une culture nouvelle requièrent des compétences spécifiques interpersonnelles et inter-culturelles en plus d'une connaissance et d'une expérience technique. (voir Profil de la personne efficace sur le plan interculturel). (p. 54)

▶ Même si 75 % des Canadiens ont exprimé leur grande satisfaction à vivre dans une culture différente, seuls 20 % sont considérés comme étant vraiment efficaces dans leur travail. (p. 56)

▶ L'adaptation à la vie à l'étranger est plus facile pour les personnes ayant déjà une expérience à l'étranger que pour les autres. Toutefois, dans une culture nouvelle, ces personnes ne sont pas considérées comme étant plus efficaces dans leur travail que celles qui n'avaient jamais travaillé à l'étranger auparavant. (p. 37)

▶ Les conjoints sans travail ont déclaré avoir subi un stress substantiel à l'étranger attribuable à un sentiment d'isolement et de dépendance, à la perte d'occasions professionnelles et à la responsabilité d'avoir seuls à arranger la maison et à installer la famille. (68-69)

▶ Les femmes sont mieux notées que les hommes pour bien des qualités et attitudes ayant trait à l'efficacité à l'étranger. (p. 38)

▶ Les aspects suivants sont apparus comme étant primordiaux au succès dans une autre culture: la motivation de contribuer au processus de développement, le fait de posséder des attitudes positives et des attentes réalistes. Cependant, dans le but d'obtenir des résultats positifs, la confiance dans ses propres capacités à s'adapter au nouvel environnement présente avant le départ est plus importante que le fait de posséder des attentes réalistes. (61-62)

▶ Les conseillers qui ont obtenu le plus de réussite sont les personnes les plus impliquées dans la culture locale et ayant fait l'effort d'apprendre la langue locale. Toutefois, ils ont signalé un sentiment d'isolement et de jugement négatif de la part de leur propre groupe d'expatriés. (p. 57)

SURVOL DES PRINCIPAUX RÉSULTATS DE CETTE ÉTUDE

▶ Travailler de manière efficace dans une autre culture est considéré comme étant incroyablement exigeant, nécessitant des compétences spéciales et un dynamisme et un engagement substantiels. Malheureusement, de nombreux conseillers ont abandonné le défi et se sont retirés dans le ghetto d'expatriés. (p. 60)

▶ La théorie en psychologie sociale permet d'expliquer et de prévoir le succès personnel et professionnel au sein d'une autre culture, plus particulièrement la théorie de « l'hypothèse relative aux contacts ». Comme cette théorie le précise, dans certaines conditions, plus le contact est grand entre les membres de groupes culturels différents, plus les attitudes seront positives les uns envers les autres. (p. 31)

▶ On a établi une dynamique du modèle de transfert efficace montrant la voie à suivre pour être efficace dans le transfert de compétences et de connaissances à des collègues locaux. (p. 52)

▶ On a élaboré et testé trois échelles comme nouveaux instruments d'évaluation pour la sélection du personnel à affecter à l'étranger. (p. 43)

▶ Les ressortissants nationaux ont signalé posséder un vif intérêt à apprendre avec les expatriés, exprimé leur déception envers les expatriés ne faisant pas l'effort d'apprendre leur langue et souligné les différences de gestion et de comportement interpersonnel posant des obstacles à la mise en place de relations de travail efficaces. (p. 65)

NOTES

NOTES